お店の解剖図鑑

THE ANATOMICAL
CHART OF SHOP

高橋哲史
Tetsushi Takahashi

X-Knowledge

はじめに

すべてのお店にはストーリーがあります。では、そのストーリーを決めるのは誰でしょうか。もちろん、お客が快適に過ごせるようデザインや運営方法を考案・提案するのは、オーナーやデザイナーです。

ところが、こうした「定説」は実はあやしい。利用者には、提供側（オーナーやデザイナーなど）によるコンセプトやデザインが「わざとらしく、押しつけがましい」と感じられるようになってきています。

お店は、見た目（視覚）のデザインだけでできているわけではありません。飲食店であれば、料理の味、メニュー、価格設定、運営方針、オーナーの人柄や客層、立地状況、スタッフのルックスなど、さまざまな要素があいまって、場の空気をつくっていきます。すべてがコンセプトをよりよく伝えるための演出として働くのです。

同時にお店を訪れるお客1人ひとりに、それぞれのストーリーが生まれます。それはわかりやすい勝手な解釈やそのときの気分、

思い込みで形づくられるものでもあります。

　ですからデザイナーは、お客が紡ぐであろうストーリーを最大限に想像しつつ、お店の目指す方向をいかにして伝えられるかを考えなければなりません。お客の紡ぐストーリーをミスリードしてしまうような演出になっていないか、注意しなければなりません。デザイナーは各要素の調整役に徹し、お店がどう見え、どう感じられるかというお客の目線で発想することが共感をもって過ごしてもらえるお店をつくるために、重要となってきています。


　人物がいない内装のパースや写真、スケッチをよく見かけます。人がいたとしても、顔が真っ白であったり、ＣＧなら半透明だったりします。

　お店にはお客がいることが前提です。利用者がいて、スタッフがいて、空間がどう見えるかを考えなければなりません。当然、顔のないお客はいません。

　本書では、店舗別アイソメに登場する人物に人格を与えて描いています。この店舗を利用する人はどのようなキャラクターで、どのようなファッションで、どのような表情をしているのか。

キャバクラ嬢と同伴している人、上司に無理やり連れて来られた新入社員、合コンでイヤイヤ風を装いながらもまんざらでもない女子など……。

お店をデザインする際、ぜひこうした利用者の様子を想像していただきたいのです。その目線をたくさん設定することによって、空間の演出方法もイメージしやすくなるのではないでしょうか。

本書では、いろいろなお店に応用できる演出のヒントをまとめました。また、デザイナーにはこれまでのデザインの突っ込みどころや再考すべきところ、利用者にはお店の演出の解読法、施工者にはデザイナーの考え方、クライアントにはウケる空間とは何か、といったことを知るための例や方法も紹介しています。

そして何より本書を通じて、お店にかかわる皆さんに、室内空間を楽しく考察することによって「お店」を満喫していただけることを願っております。

高橋哲史

目次

はじめに 3

1章 気持ちの良い店には仕掛けがある

カフェ 12
スイーツショップ 14
洋食屋 16
ハンバーガーショップ 18
ピッツァハウス 20
カレー屋（インド系） 22
回転寿司屋 24
ラーメン屋 26
シェアできるお店 28
もんじゃ焼き屋 30
蕎麦屋 32
浜焼き屋 34
オイスターバー 36
鉄板焼き屋 38

鍋ダイニング 40
和ダイニング 42
懐石料理屋 44
ビストロ 46
高級中華料理屋 48
旅館 50
スポーツバー 52
大衆酒場 54
ビアガーデン 56
立ち飲みワインバー 58
ガールズバー 60
キャバクラ 62
オーセンティックバー 64
屋台 66

コンビニ 68
癒し系雑貨店 70
メガネショップ 72
アパレルショップ 74
インテリアショップ 76
ライブハウス 78
マイクロバー 80
PR施設 82
コラム
カスタムの◯と× 84

2章

ずっと居たいハコには最高の寸法がある

お店の平面計画 86
お店の席 88
寸法 92
カウンターの高さ 94
ハイカウンター 96
カウンターの天板 98
パーティション 100
個室 102
厨房 104
ワイン 106
トイレ 108
外とのつながり 110
外へのアピール 112
看板 114
コラム 天井の高さはどう考えたらよいか？ 116

3章 ハコをつくるモノが人の心を動かす

床材 118
石材 120
木材 124
壁紙 126
タイル 128
金物 130
フェイク 132
ガラス 134
鏡 136
調度品 138
光の当て方 140

人の照らし方 142
室内温度 144
排気と給気 146
スケール 148
改装 150
音 152
発想 154
お店をデザインする人たち 156

索引 158

ブックデザイン：米倉英弘+鎌内文
（細山田デザイン事務所）

DTP：ソーミル

編集協力:：オメガ社

1章

気持ちの良い店には仕掛けがある

カフェ

プライベートとパブリックの間の居場所

世の中は「カフェ化」しているといってもよいでしょう。オフィスや住宅などまで、カフェのようになってきています。

　カフェは単にコーヒーを飲む場所ではなく、自宅以外でも気兼ねなく過ごせる場所。自宅にはない少しの緊張感と「気が許せる」感じとのバランスを楽しんでいるのでしょう。

　こうした感覚を意識し、店内のデザインを考えるとよいでしょう。

● パーツ探し

お店のパーツは、雑誌やネットを駆使して探します。輸入DIYショップ、パリの蚤の市から買いつけているアンティークショップなどで、意外なお宝を発掘することもできます。

● カフェらしさ

いわゆる「カフェらしいデザイン」にする必要はありません。あえていえば、「商業的なセンスは持ち込まない」ということです。商売の効率や万人向けの小ギレイさではなく、お客がカフェに求めているものを探しましょう。

● 自由さが大切

誰もが自由に出入りして、読書をしたり、ノートパソコンを使ったり、友人と雑談したり、自分なりに楽しめる空間にしましょう。

パーツ探しは自己責任で。

A 家具のデザイン

分厚いカタログに掲載されている既製品は避け、素朴なアンティークや小道具屋で購入できるような家具をそろえましょう。色や型は「バラバラ」な感じで楽しんでもらいましょう。

B 家具の予算

本物のブランド品を集めたいところですが、予算にも限界があるでしょう。中国製などのジェネリック家具でも十分です。最近は、そこそこの値段でもそれなりのイスやテーブルを手に入れられます。

材料

DIYによる素人の手づくり感があったほうが独自の雰囲気を醸し出せます。施工業者が扱うプロ用ではない材料を集めるのがポイント。世界中のネットショップには、金物や塗装材、バーンウッド（納屋に使われた古材）、デッドストックの壁紙など、お宝がたくさんあります。

仕上げ作業

1人で作業するのが難しいからといって、業者を使う必要はありません。塗装や組み立て作業を友人にお願いして、できる限り「素人」で仕上げましょう。この「手づくり感」こそが、お客にユルい日常を提供してくれるのです。

立地

できれば木造の一軒家を改装するとよいでしょう。天井を取り払って、土足仕様に変えるだけでも雰囲気のあるスペースとなります。ただし、商業地域にこうした物件はほとんどないので、住宅地に出店する覚悟と工夫が必要です。

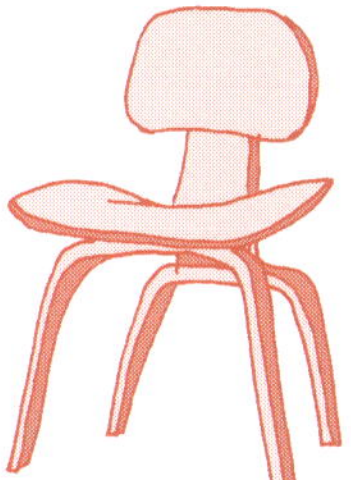

本物の商品にするか、コピー品にするかはご自由に。

材料以外に、作り方やそのコツなどもネットで入手。

スイーツショップ

婦女子が憧れる、甘くて優しい雰囲気を演出する

いまや日本のスイーツは世界一といっても過言ではありません。国内でも、辛党のフリをしていた男子も巻き込みスイーツファンの裾野を広げました。

　スイーツは、「ハレの食べ物」ともいえるでしょう。

これを食す至福の瞬間を演出するには、お店の雰囲気づくりが重要です。

　内装はわざわざ欧米風にする必要はありませんが、婦女子が夢見る空間でもあるので、清潔感を第一に考えましょう。

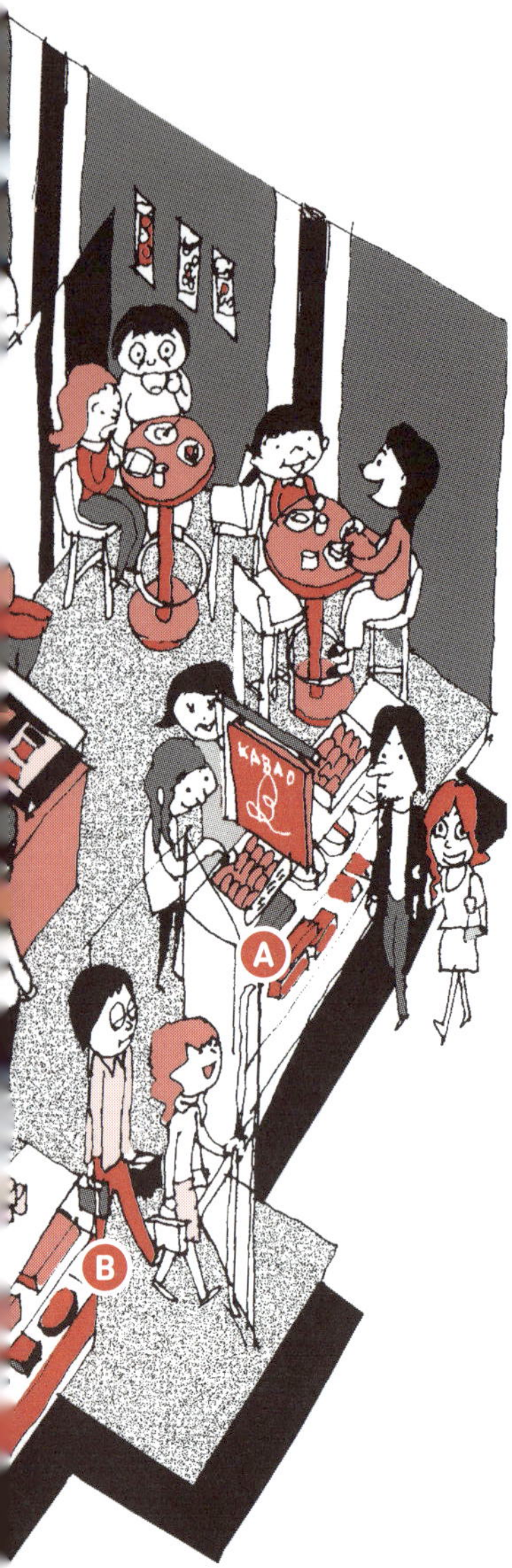

A 第一印象

お店の正面はガラス張りがよいでしょう。外から見えるショーケースにケーキがキレイに陳列されている光景は、スイーツショップならではのキラキラ感を与えることができます。

B 外へのアピール

入口付近には、傷みにくい焼き菓子をディスプレイしたり、かわいいデザインのパッケージを積んだり並べたりするのも良案です。

C 内装の主役

店のメインとなる冷蔵ショーケースはかなり高価です。特注品は高級車並みに高価なので、既製品をカスタムして、インテリアに合わせるのが現実的。高透過ガラスの形状、排熱ルーバーなどで、冷蔵温度が変わるため、パティシエやメーカー担当者とよく打ち合わせをして決めましょう。

ハレの食べ物らしい演出を。

［MEMO］Q.店舗デザイナーはどういう面で大変でしょうか？　A.施主と施工者と来店者の3者に最大限の利益をもたらすよう誠実な判断をしなければなりません。ただ、報酬は施主から得るので、そこに葛藤が生まれます。

D レジ

レジと受け渡し専用のカウンターは必ず設置すること。ショーケース越しにやりとりするのはやめましょう。ショーケースは高さがあり、お金や商品をやりとりする場としては不向き。むしろ衝動買いを誘う焼き菓子の置き場としては最適です。

インテリアとパッケージのデザインがそろっているとなおよい。

E イートインコーナー

よく店内の隅に申し訳程度に設置されている座席がありますが、これは感心しません。お客がゆっくり座って飲食できるちゃんとしたスペースをつくります。婦女子がグループで使用できるようなボックス席があるとベスト。ただし、喫茶店ではないので、コーヒーの香りが漂わないように。

フランスで修行したパティシエなら広告効果も絶大。

天井

空調やダクトがむき出しのスケルトン天井はワイルドで清潔感のない印象を与えてしまうので避けましょう。

ケーキのデザインはデコラティブなものから

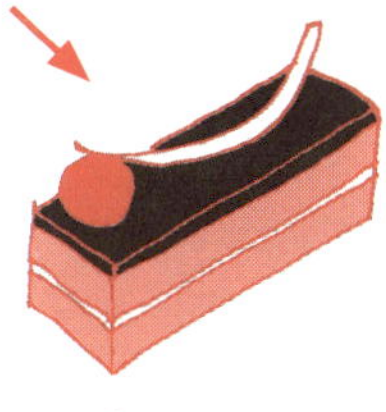

シンプルでモダンなものが増えています。

洋食屋

アットホームでノスタルジックな食堂

親しみやすいメニューが並ぶ、定番のお店です。
老舗の洋食屋が新たに支店を出店したような雰囲気を漂わせましょう。お店の格式や信用など守るべきものは守りながらも、新たなお店の形態にチャレンジしているといったイメージでしょうか。

基本はレトロ風で、永く親しまれている感じ。お客がわざとらしさに興ざめしない程度の昭和感をベースにし、週に3回くらい来店したくなるアットホームなカジュアルレストランを目指しましょう。

A 内装材

樹脂系などのケミカルな素材はなるべく避け、昔からある素材を多用して、安心できる地元感を醸し出しましょう。

B 座席

グループでもお1人様でも気軽に利用できるよう、大テーブルやカウンターなどを設けましょう。

構成

レトロな気分をなぞるだけでは物足りないもの。たとえば、ワインセラーを入れて、ビーフシチューとワインの組み合わせメニューを提供する、ツマミになる小皿料理用のショーケースを導入するなど、独自の展開があるとよいでしょう。

C 外の見た目

ドアは木製で、大きめの格子にカットガラスがはまっているものがよいでしょう。その上にテントを設けて、店名を入れます。こうした無難なデザインのほうが、実直で安心な味を保証しているように感じてもらえます。

ちょっと古めのかわいいキャラクターがよいでしょう。

D 床の素材

フローリング、パーケットブロックなどがよいでしょう。カーペットなら、色は赤がオススメ。

E "らしさ"の演出

食品サンプルは用意したほうがよいでしょう。フォークでナポリタンを持ち上げているものや、目玉焼きが乗っているハンバーグなど、象徴的なメニューのサンプルがあると、洋食屋の懐かしい雰囲気をアピールできます。

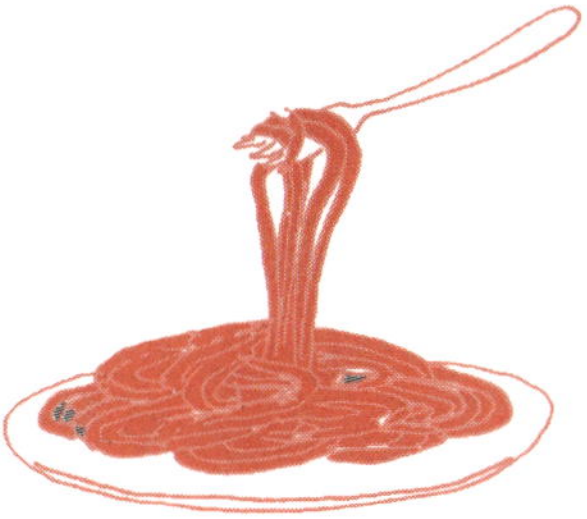

メニューの紹介以上にアイキャッチとして効果があります。

F 灯り

間接照明などの小細工を施す必要はありません。高級なものでなくても、叩いた銅などを使った少し無骨なペンダントやブラケットがあると、洋食屋らしい雰囲気が出てきます。

G キッチン

キレイに並べられた大小のフライパンや、真っ白なコック服に高いコック帽のシェフがテキパキ動いている様子は、見ていて気持ちのよいものです。キッチンは見せびらかすことをオススメします。

ハンバーガーショップ

アメリカンな内装が基本。田舎のダイナー風なら最高

ファストフード店ではなく、本格的なハンバーガーやホットドッグの専門店です。アメリカ旅行で本場のハンバーガーに出会い、日本でも食べたいという人が増えてきました。

　ハンバーガーは最低でも千円くらいの単価となるので、お店もそれなりに手をかけたい。中華味やフランス風のハンバーガーを開発したのでなければ、基本はアメリカンな「しつらえ」がよいでしょう。あか抜けない田舎のダイナー風にできれば最高の演出となるでしょう。

●ダイナーとは

アメリカの地域に根ざした気軽に利用できる大衆レストランのこと。コーヒーショップを兼ねているところもあります。高級な素材よりも、メラミン化粧板などのケミカルな素材が多く用いられます。アールデコ風に、ステンレスを多用したデザインもよく見かけます。

●スタイル

細かいことは気にせず、底抜けの明るさを求めたいところです。調度品も昔のスタイルで、ビールのネオン看板や、アトミックパターンはよい演出になります。それでは直球すぎるというのであれば、木を多用したカントリー風など、ちょっとした工夫を凝らしても、個性的な空間になります。

●ざっくり感

スケルトン天井でよいでしょう。天井が高くなるので、コードペンダントを下げた倉庫のようなインテリアも悪くありません。

古きよきアメリカがテーマ。

[MEMO] Q.設計は工務店かデザイナーのどちらに頼んだほうが得でしょうか？　A.全体を見渡し、いろいろな面から工夫もできるので、デザイナーに頼んだほうがよいでしょう。

Ⓐ 床の素材

本物のタイルかフローリングにしてください。Pタイルの黒と白を市松に張ったものは定番すぎるので、違ったデザインにしたい。

Ⓑ イス

脚はスチールパイプのクロームメッキ仕上げで。張り地は夏には汗でペタペタしそうなテカッとしたビニールレザー、縁にはパイピングが入ったレトロなディテールがよいでしょう。

50年代風にしすぎると、ヤンキーのたまり場にもなりかねないので注意。

Ⓒ テーブル

縁がアルミで、天板はメラミン張りのテーブルが多いようです。自分でつくるよりも、アンティークショップで良品を探したほうがよいでしょう。

● 灯り

白いガラスのコードペンダントを下げるのがオススメ。値段もそれほど高くなく、外からも目立ち、楽しい雰囲気を演出できます。

思い切ってアメ車を店前に置いてしまいたい。

ピッツァハウス

明るく楽しいラテン系のノリで自由なデザインに

もっちりした生地のナポリ系のお店が多いですが、アメリカンや和風なピッツァなどにもニーズがありそうです。

ただし、ピッツァは粉モノにしては単価が張るので、しっかりした味で焼き具合にも気を配った商品を提供しなければなりません。

ピッツァのお店に高級でかしこまったデザインは合いません。店内はイタリア風にこだわらなくてもよいでしょう。自由なデザインのお店も増えてきました。

ピッツァ窯は、焼いているところがお客によく見える場所にドーンと設置しましょう。

● 気分

ナポリの民家のようなイタリア風にこだわらないでよいですが、ラテンの陽気さやカジュアルな雰囲気が出るように。無国籍のインテリアなら可能性はありますが、和風はあまりにも場違いなので避けてください。

A 座席

ピッツァは大衆の食べ物なので、混み合った感じの配置でかまいません。むしろ「ワイワイ」「ギュウギュウ」とした雰囲気のほうが、店内の一体感が出て、フレンドリーな空間となります。

B イス

木のシンプルなイスがよいでしょう。丈夫さを考えると、日本製がオススメです。

C 壁

コンクリートに塗装でも問題ありません。厨房との仕切り壁はブロックのままでよいですが、その際は石積み風に馬目地にすると雰囲気が出ます。

ピッツァ職人の伝統技術を伝える「真のナポリピッツァ協会」。日本にも支部があります。

[MEMO] Q.飲食店は儲かりますか？　A.飲食店の売り上げの内訳は原材料費30%、人件費30%、家賃10%、光熱費・消耗品10%、返済10%、手元現金10%。家族経営で自宅を使えば儲かるかもしれません。

E 装飾アイテム

壁はシンプルでOKですが、額や飾り棚など調度品があるほうがアットホームな感じが出てよいでしょう。ほかにもワインボトルを並べたり、手描きのメニュー黒板を置いたりするなど、賑やかな雰囲気を出しましょう。

D ピッツァ釜

ピッツァ釜は薪、ガス、電気式などのものがあります。薪にしたいところですが、それぞれ味や温度の管理、ランニングコスト、初期投資などが異なるので、各々の長短を考慮して決めてください。釜は後で取り替えるのが難しいので、事前に慎重に選びましょう。

F 床の素材

特に入口付近は過酷な環境になるので、タイルがよいでしょう。ほかはフローリング。輸入のリーズナブルなタイルもあるので、適当なものが見つかれば、店内の床全体に張るとよいかもしれません。

G 外とつながる

クリアガラスの折れ戸で、すべてオープンにできるようにすれば、ピッツァを焼くところも外から見せることができます。寒い時期の対策に、パラソルヒーターやブランケットなども用意しましょう。

テラスでの寒さ対策に暖房設備を。

カレー屋（インド系）

幸せホルモンが出るインドカレー インテリアも幸福感を全面に

やはりインド風のデザインがしっくりきます。壁にガネーシャなどの絵を掛けたり、インドの物産展で目にするような照明器具を使っただけのお店もよく見かけますが、それではお手軽すぎます。

もっと本物らしさをプラスしたいところ。たとえば、タンドリー鍋をお客から見えるところに置いて、チキンやナンを焼く様子をインテリアに取り込めば、一気に本場のカレーを食べている気分が高まります。

● 独特のにおい

お店周辺にカレー独特の香辛料の香りが漂ってしまうと、近隣から苦情がくる心配もあります。排気はビルの屋上に出すようにするなど、その処理方法は事前に検討しておきましょう。

● 品格も大切に

チキンカレーやナンは、インドでは王様級の料理とされています。王様が好みそうな雰囲気を目指し、リッチなデザインを心がけましょう。

● 色使い

カレーは、幸せを感じるホルモンのセレトニンを分泌させるそうです。インテリアも幸せ気分が味わえるものを取りそろえたいところです。ピンクやゴールドなど、ゴージャスで楽しい色のものを選びましょう。

カレーによる幸せホルモン効果とマッチするハッピーなインテリアを目指しましょう。

[MEMO] Q.お店をつくるには高級車の値段以上の費用がかかりますが……。　A.そういう点では自動車は安いといえるでしょう。イスもあるし、雨風をしのげ、空調も効くし、そのうえ走ります。

A 壁の素材

予算が許せば、インド砂岩を壁に張るのもよいでしょう。ただし、インド建築における装飾のエレメントは特に緻密です。そのまま表現したら、いくら予算があっても足りません。ほとんどのお客は日本人でしょうから、そこまでこだわる必要もないでしょう。

宗教を喚起させるインテリアはほどほどに。

B 装飾アイテム

インド更紗を壁に吊るしているお店を見かけますが、しっかりガラスで挟んでスッキリと仕上げるのがコツ。そうすれば、ホコリもつかず清潔で、シワにもなりません。

C 床の素材

床にはカーペットを敷くとよいでしょう。カレーがこぼれてシミになるのが気になるのであれば、シミが目立たない柄や色を選びましょう。

タンドリー鍋をどう設置するかは、最初に考えましょう。

回転寿司屋

ワンランク上のニーズに対応した特上の空間を目指す

　繁華街にある小ぶりな回転寿司屋をイメージしてください。低価格帯のお店が次々と出てきましたが、その手のお店は単価と同様に安い雰囲気になりがちです。高級店と大衆店の中間あたりに位置づけて、差別化を図りましょう。

　たとえば、女性のグループが、好きなネタをちょっと食べて遊びに繰り出す、カップルでゆっくり食事を楽しめる……。

　ファミレス化した回転寿司とはひと味違う、大人が使えるお店を構想してみましょう。

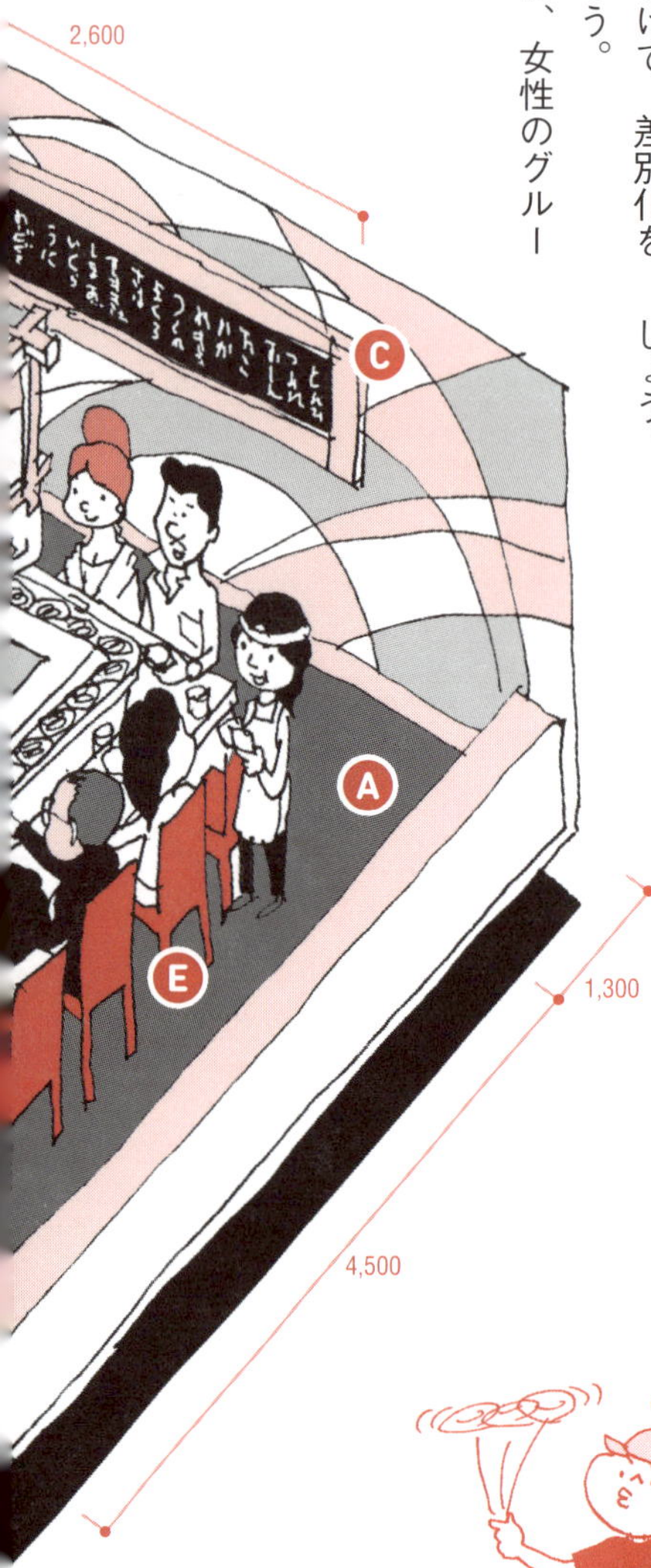

● 和モダン

和風で、できるだけシンプルなデザインに。ビニールクロスなどのケミカルな材料は避け、木や左官、和紙などの天然素材を採用しましょう。安価な材料でシンプルなデザインにするとチープに見えます。

● 水槽の意義を問う

活け造り用の水槽やネタケースは無理に設置しなくてもよいでしょう。おいしいネタをそろえる目的からすれば、費用がかかる割に貢献度が低いからです。

A 床の素材

床は磁器タイルや石にして清潔感を出したいところですが、工期や予算を考えると、塩ビタイルでもギリギリOK。ただし、パターンに凝るとか、目地棒を入れるなどの工夫も忘れずに。

子どもが喜ぶ店づくりはあえて避けましょう。

Ⓑ カウンター

メラミン化粧板は避けるように。運営上ヒノキが難しければ、石にしましょう。最近では低価格の石種も出てきています。大理石は洋風になりがちで、傷もつきやすいので、御影石や御影石風の人工大理石もよいでしょう。

日本人は利き目が右の人が多いので、寿司は右回りとなっています。

Ⓒ お品書き

メニューは必ず木の板に書き、額に入れて並べましょう。手づくり感を出そうと、旬のネタや汁ものをマジックで書いて張り紙にするのはNGです。

Ⓓ 外からの見え方

店内がよく見えるようガラス張りにしてください。誰からも見られてしまうほどオープンにする必要はないので、のれんを採用してバランスを図ってください。

Ⓔ あえて素敵なイス

イスは木製で、背がしっかりついているものに。ビニールレザーでもかまいませんが、予算的に余裕があれば皮革にしたいところではあります。

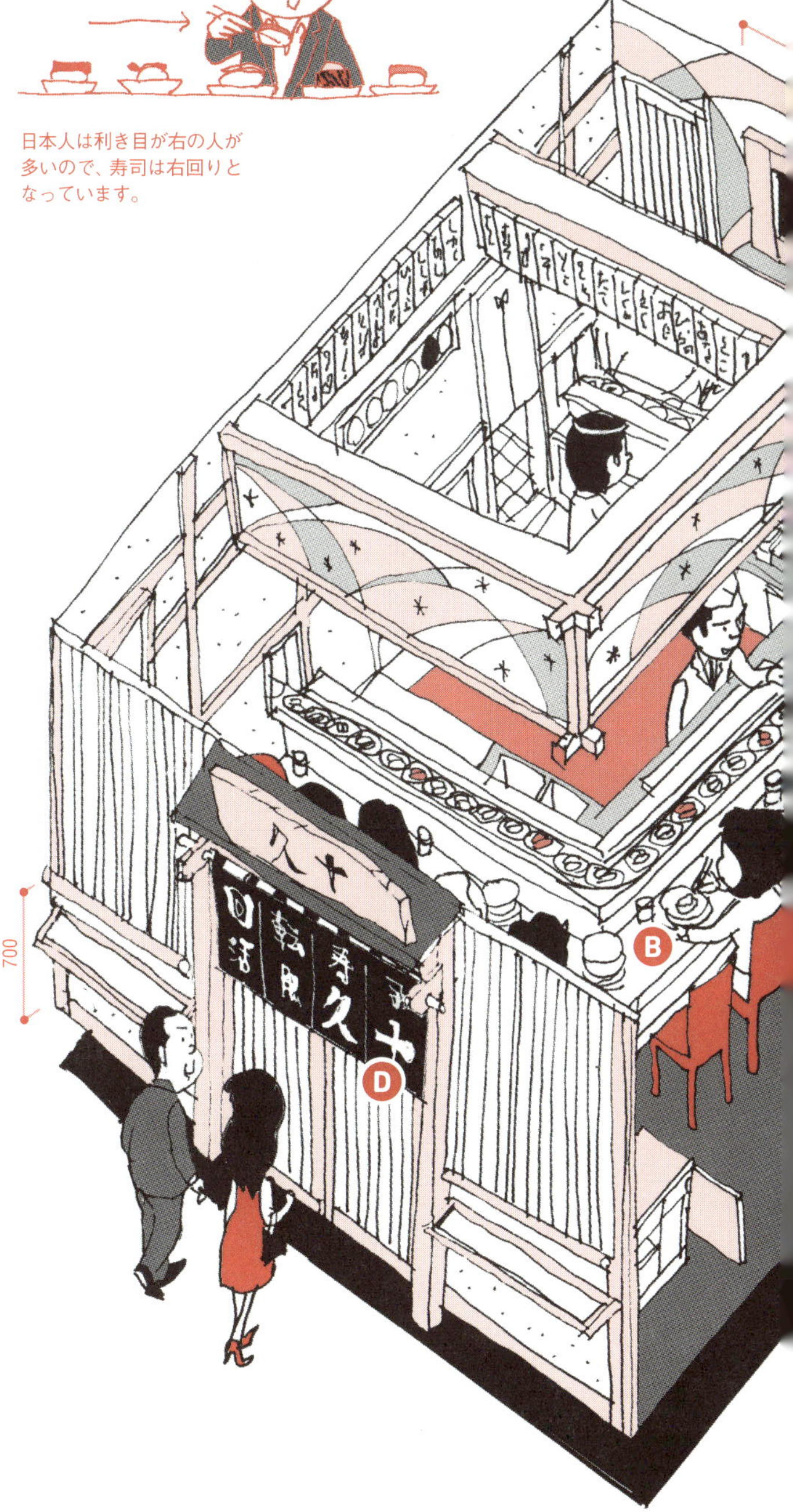

イスにはお金をかけたい。

ラーメン屋

お金をかけすぎたり オシャレにデザインしすぎない

初期投資が安いというメリットから、新規参入が多いお店。独立したばかりなら、居抜きで借りてあった設備をそのまま利用することも可能です。

お店のデザインには要注意です。庶民的でB級メニューのラーメンを食すうえで、デザインが過剰すぎるとおいしく感じられないからです。レトロやオモシロ路線なら問題ありませんが、モダンでオシャレ路線は避けたほうがよい。気取らない意匠で直球勝負といきましょう。

A リニューアル感

看板の文字は大きくて見やすいものがよいでしょう。店名は筆文字で3文字程度が多いので、居抜きの際は以前の看板とはできるだけ違ったデザインにして、新しいお店になったことをアピールしてください。

B 見えないアピール

換気扇を入口側に設ければ、店前においしそうなスープの香りが漂って、お客を連れてきてくれることもあるでしょう。いわば臭覚に訴えるサインです。

C 客席

華美な座席にする必要はありませんが、清潔さが保てる素材を選びましょう。油で滑るような床はもってのほかです。

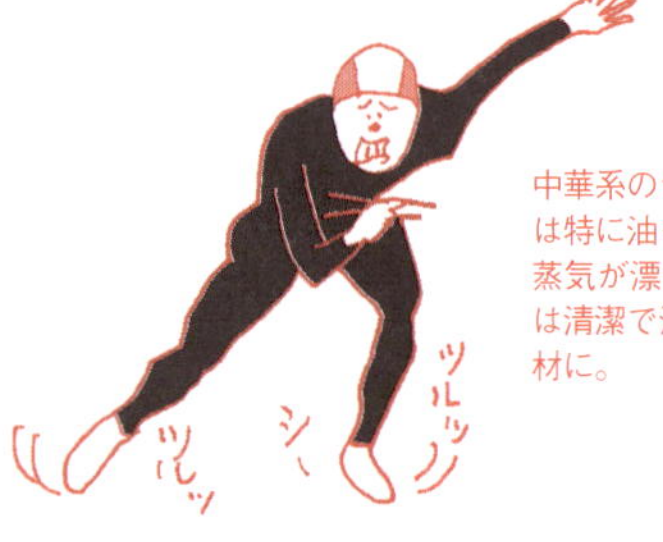

中華系のラーメン屋は特に油を含んだ水蒸気が漂うので、床は清潔で滑らない素材に。

［MEMO］Q. ラーメン屋が看板だけ変えて、すぐ別のお店に変わるのはなぜでしょうか？　A.居抜き（前の店の内装や設備をできるだけ活用すること）で使えば初期投資が抑えられるからです。

D カウンターの素材

天板はメラミン化粧板が多いようですが、無垢の木材でつくられたカウンターは、最もラーメンがおいしく感じられます。高価な樹種にする必要もなく、集成材で十分です。

湯切りもエンターテイメントとして見せたい。

E カウンターの寸法

奥行きは、こしょうや箸、ティッシュなど、常備しておくものを念頭に置いて決めましょう。高さは、カウンター内の足元は隠しつつ、湯切りパフォーマンスは見やすいように。

F イス

長時間座るわけではないので、背もたれやヒジ掛けのないスツールで十分です。出入りもスムーズにしたいので、小ぶりなイスがよいでしょう。中にクッションの入ったビニールレザー張りがよいでしょう。拭き掃除も楽です。

● 行列

お店の両隣が店舗だと、外に並ぶことができない場合もありえます。目指すは行列のできるラーメン店ですから、立地にも注意し、可能な限り、店内にウェイティングのスペースを確保できるようにしましょう。ただし、待ち人がいないときに間の抜けた空間にならないよう配慮してください。

シェアできるお店

昼、夜、深夜ごとにフレキシブルに営業形態を変えることを前提に

　地方では、ショッピングモールの進出によって、シャッター商店街が目立ちます。そんなところに飲食店を出店するのは大変なことでしょう。

　そこで、1店舗で曜日や時間帯、利用者の層ごとに営業形態を変えられるお店はどうでしょう。それぞれ運営者を入れ替え、各自の方針でお店を切り盛りしてもらいます。

　昼、夜の2形態だと採算がとれないおそれがありますが、3形態ならリスクも3分割。臨時のイベントスペースにもできると、採算ラインはさらに低くなります。

Ⓐ 棚

お酒の棚に、コーヒーカップ、フィギュアなどが混在していたら、興ざめです。扉を左右に開け閉めできるような戸棚を用意しましょう。扉の表と裏のデザインの違いでお店の雰囲気が変わります。黒板にして文字を書き込むこともできます。

● リバーシブル

喫茶店とバーを兼用しているお店の場合、内装が一緒なのはいただけません。そこで、店内をリバーシブル仕様にします。床、壁、天井を変えるのは大変なことなので、家具の工夫で変身させるというわけです。

2WAY戸棚。昼は本棚とイベント情報、夜はワイン棚とオススメおつまみ案内。

B イスとテーブル

家具は入れ替えなくてもかまいません。各業態に合った家具が混在していても大丈夫。

C 灯り

昼、夜の時間帯によって照明の高さを変えると効果的です。夜は低い位置に。他方、昼は灯りを高い位置に上げてアクティブな感じに。昇降機が必要ですが、値段が高いので、メインの目につくところだけでかまいません。これで雰囲気がガラッと変わるので、コストパフォーマンスに見合った投資といえます。

D 外からの見た目

サッシと障子で構成したダブルスキンがオススメです。障子は光の壁になる一方、全部引くと店内を広くを見渡せます。天気がよければ、フルオープンのテラスのように使用することもできます。

E バックバー

障子のような軽い素材でつくった跳ね上げ式の建具は、持ち上げてその上から照明を当てれば、光天井のようにもなります。

● 明るさも変える

調光器を駆使して、各業態の雰囲気に合わせられるように。ただし、細かく回路分けをすると、工事費がかかります。エリアを吟味して、移動可能なスタンドなども多用するとよいでしょう。

2WAYバックバー。昼はグラフィックパターン、夜は一升瓶。

もんじゃ焼き屋

敷居を低くしながらも そこそこ品のある和風空間

かつて下町では駄菓子店の延長でしたが、いまでは関西にも進出。主要都市であれば必ず目にするお店です。

　商品単価が千円前後の都市向け料金のお店も多くあります。小麦粉が生地なので、コストパフォーマンスのよい商品のように思えますが、出汁《だし》や千切りキャベツなど手間がかかり、意外と回転率も低いといわれています。

　店内の雰囲気は下町感があったほうがよいですが、単価に見合ったデザインを考慮する必要もあります。

A 座席

座席の構成は、テーブル席と小上がり。さらに、大きくなくてもカウンター席があると、1人客や常連の客にも対応できます。高級感というほどでもないですが、カップルが喜ぶ程度のキレイさやカジュアル感は醸し出したいところ。

B 床の素材

あえてクッションフロアにしてみては。「チープでダサイ」という印象がありますが、下町の飾らない雰囲気を演出することができます。

● 照明

最近は、値段の高い灯具を使っているお店もありますが、予算が厳しければ、あえてレトロな雰囲気のある電球色の蛍光灯を吊り下げるとよいでしょう。

もんじゃを食べるカトラリー、「コテ」とも「はがし」ともいいます。グラフィックのパターンにしても楽しいものです。

ヒモのついた照明器具は、使用されていなくても飾りとして設置しているだけで懐かし感が出ます。

● 見上げた感じ

船底天井などはいかがでしょうか。和風でありながら、空間も広々とした感じで懐かしい雰囲気となります。

C 壁下のほう

鉄板で油を使うため、腰下部分は特に汚れやすい。塗り壁や塗装では清潔に保てないので、床から1メートルくらいまではこまめに拭ける木の板などを用いましょう。

D 壁上のほう

腰から上の部分はお店の個性が出せる頑張りどころ。土壁と和紙クロスをパターン張りにしてみると、他店とはひと味違った雰囲気となります。

E 家具の構成

イスは、木のスツールではなく、背のついた座り心地のよいものに。テーブルの天板は丈夫なメラミン化粧板が定番です。

F 外と内の二面性

目立とうとして、気取ったデザインにはしないでください。オススメは、木の引き戸で、軒にはビニールのテント、のれんに屋号を入れるといった感じです。入口はスタンダードなものにしておき、お客が店内に入ったときにちょっとだけ意外な感じがする程度のデザインがよいでしょう。

中央が高く船底みたいに見えます。和風で下町らしい。

蕎麦屋

和風でスッキリ シンプルな現代の〝粋〟を表現

　蕎麦と一緒にお酒を楽しむといった粋なお客が増え、営業時間も長くなる傾向があります。そのため、ゆっくりくつろげる室内空間を目指す必要があるでしょう。

　お蕎麦をおいしく食べてもらうなら、やはり和風のデザインがオススメ。古材満載の古民家風などは泥臭くなりがちです。ここはすっきりしたシンプルな美を目指しましょう。日本酒、蕎麦焼酎などをディスプレイすると、つい飲みたくなるお客も増えるでしょう。

● 灯り

フラットに照らす蛍光灯を使った光天井のお店も見かけますが、もっとメリハリのある空間にしましょう。イサムノグチの球型ペンダント「あかり」シリーズも避けましょう。使用しているお店が多いうえ、980円の偽物も出回っています。

● 和紙

和紙は蕎麦屋にピッタリの素材。電球を入れてもよし、パーティションとしてガラスに挟んだりしてもよいでしょう。ただし、客席の近くだと、つゆのシミができるので注意。

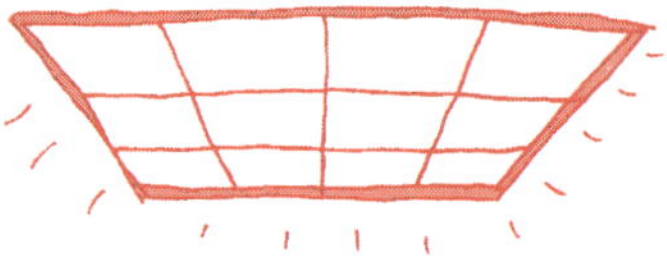

A ほっとスポット

トイレはほっとできるチャーミングな坪庭のように設えます。ただし、玉砂利を敷いた床やスギ板の腰壁、土壁は清掃しにくいので避けましょう。

B イス

麻縄で編み込んだ四角い座面の民芸調のイスが定番ですが、へたりやすいので、もっと座り心地のよいものにしましょう。

粋な素材

木や石、土など天然素材がよく合います。蕎麦同様、自然の恵みで構成しましょう。

C さりげなさ

厨房まで見通せるカウンターは落ち着かないのか、簾やのれんを垂らすお店を見かけます。でも「遮蔽」はさりげなく行うのがベスト。たとえば、カウンターに一升瓶を並べておけば、夜の営業のアピールにもなります。

浜焼き屋

活気があり、威勢のよい「ライブ感」が肝

貝や魚を焼きながら食べる、楽しいお店です。それぞれ座席に取りつけた置き型のロースター（網焼き器）を使います。

デザインは、海辺にある漁師の休憩所や、漁の網を置いておく番屋がベース。野趣に富んだ掘っ建て小屋の雰囲気を演出しましょう。

ポイントは威勢のよいライブ感です。魚をさばくところが見える、氷が詰まった発泡スチロールの箱で魚を運ぶなど、市場のような勢いと賑わいをデザインします。

● お金をかけない

仕上げはおおらかで、板張りが反っていたり、隙間があってもOK。塗装も素人が塗ったような出来で十分です。職人技は求められていません。お店のスタッフで作業し、浮いた工事費は別に使いましょう。

● メジャー感

ローコストとはいえ、幅広い客層を集めたい。デートで女性を連れて行けるテーマパーク的なメジャー感があるとよいでしょう。

● 素材

板材は、魚を入れる木箱をばらして用いてもよいでしょう。ただし、内装制限に引っかかるので、仕上げ材として使う際は高さを1.2メートルまでにしてください。

ターレットトラックがあると市場の雰囲気が出ます。インテリアやファサードの演出にもGOOD。

[MEMO] Q.木にも魚にも同じ名前のものがあるそうですが？　A.あります。サワラ、キハダ、タラなど。

A 臨場感

インターネットなどで、大漁旗や網、ブイなどの漁具を入手しましょう。ただしサイズが大きいので、事前にスペースを確保しておくこと。

大漁旗は派手なグラフィックで場を盛り上げます。風を当ててはためかせるなどの演出もアリ。

B 床の素材

モルタル金ゴテでかまいません。掃除がしにくかったり、白い粉が出るのが気になるようなら、ウレタンのクリア塗装や、厨房や駐車場に使うコート剤をかけるとよいでしょう。

C イスとテーブル

イスはビール箱にベニア載せでもよいですが、ビニールレザーの座布団くらいは準備しましょう。テーブルもベニアで十分です。ただし天板はヒザが入る大きさにします。また、ロースターの熱に耐えられるものにしてください。

D 出入口

拾ってきたかのようなアルミサッシなら雰囲気が出ます。塩で腐食したような風合いが出ていればなおよいでしょう。

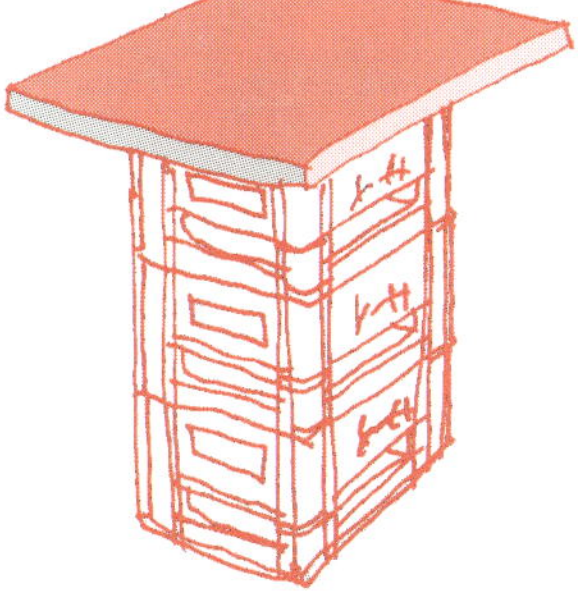

ビールケースのサイズは450×365×315ミリ。

オイスターバー

欧米の港の小さなレストラン「カワイイ」のフィルターを通して

いろいろな産地の牡蠣やハマグリなどを生食できるシーフードレストランです。魚やロブスター料理なども人気があります。

スマートなイメージがあるので、女性を誘いやすいお店です。客層はカップルや男女混合グループが多いので、かわいさやオシャレな雰囲気の演出が大切です。

色合いは海を連想させるので青系にしてもよいですが、その補色となるオレンジや木の色を加えてバランスをとりましょう。

A インテリア

ヨーロッパ系も考えられますが、このイラストはアメリカ系のデザインです。いずれにせよ、ワイワイとカジュアルに利用できる雰囲気を目指します。船や港のモチーフとともに、白ワインやシャンパンで、生牡蠣を存分に楽しく味わってもらいましょう。

B ワインセラー

いつでもキンキンに冷えた白ワインを提供できます。ワインセラーは既製品のものをインテリアに合わせて、外装を木材で囲ったり、木目調のシートを張ったりすることで、統一感が出てグレードアップします。

ニューヨークの都会的なオイスターバーを参考にしてもよいでしょう。

C キラーアイテム

アイスベッドは入口付近に設置したい。氷の上に潤沢に並べられた牡蠣は、どんな看板よりも効果があります。ただし、鮮度を保つにはかなりの量の氷が必要です。保温材の活用や外気の影響を考慮しましょう。結露や排水にも注意。

ギンガムチェックはシーフード気分を盛り上げる柄のひとつ。

D 床の素材

フローリングが基本ですが、入口やアイスベッド廻りをタイルにしておけば、濡れても清潔感を保てます。

E 外へのアピール

テラスのあるオープンカフェ風や、小窓程度の食堂風のものが考えられます。ノスタルジックなイメージを演出して、古い漁港のレストランのような雰囲気にします。

● 調度品

船舶用パーツはお店の雰囲気にピッタリ。本物の既製品を使いましょう。丸窓やマリンランプ、ロープ、旗などはネットで入手できます。豪華客船ではなく、「漁船」程度が気軽でよいでしょう。

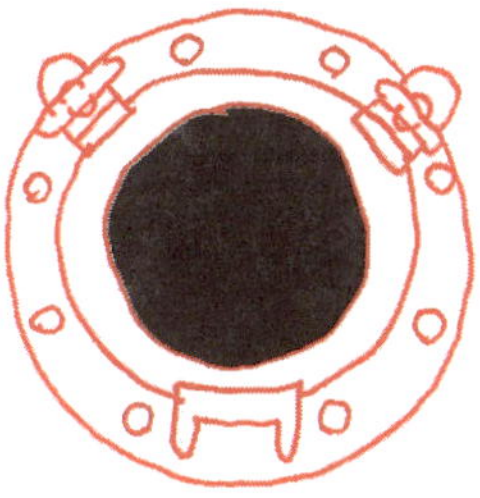

船舶用丸窓。アルミ製も多いですが、やはり真鍮製、磨くとピカピカに。本物のパーツは迫力があります。

鉄板焼き屋

どっしりと豪華な雰囲気が満足感を引き立てる

少し単価が高めのお店ですが、お祝いごとやデートで利用したいお店です。ステーキは胃も心も満腹にしてくれます。シェフがステーキを焼いているシーンは、ただ眺めているだけで、付き合い始めのカップルなら間をもたせてくれます。何より、お客の目の前のパフォーマンスは豪華な演出といえるでしょう。

　立ち食いにすることで単価を下げたり、お客に生の肉をせり落としてもらい、それを調理する店内オークション方式など、さまざまな形態が出てきています。

A 座席

家族やカップルだけでなく、会社の接待でも利用されるので、個室やカウンター、テーブル席と幅広い客層に対応できるようにしておきます。設定した客層や客単価に合わせて、座席の割合を決めましょう。

B 背景となる色

全体的に暗めの配色に、木材なら濃い目のオイルステインで塗装し、石なら黒色や焦げ茶色のものがよいでしょう。色の対比でシェフの白い服が輝いて見えるようになります。

マッチョな素材

健康的で勇ましい牛の肉を彷彿させるマッチョ感を演出する内装にしましょう。ぶ厚くて重い板など、丈夫で強そうな素材を選びましょう。

本物感の演出を心がけましょう。

C 外へのアピール

基本は洋風ですが、少しは和も取り入れたデザインにしてください。和牛がメインです。畜産農家のこだわりを感じてもらいたい。太い木の梁や太筆で書いた漢字などを装飾に使うと効果的です。

D 家具の素材

イスは重厚感のある革張りのものがよいでしょう。パーティションやちょっとしたサービス台なども、工芸品のようなデザインと仕上げにこだわりましょう。

美味な肉

ヒレやサーロインなどの一般的に扱われている肉だけでなく、低温で寝かせた熟成肉や、サガリやイチボなどの稀少部位も扱うとお店の個性になります。

灯り

シェフがいる鉄板廻りは明るめにします。ワインセラーや花台などのポイント以外は暗めの照明がよいでしょう。特に鉄板は、点光源でギラっと艶めかしく輝くようにしましょう。

目の前でおいしい料理をつくってくれるシェフはマジシャンみたいもの。

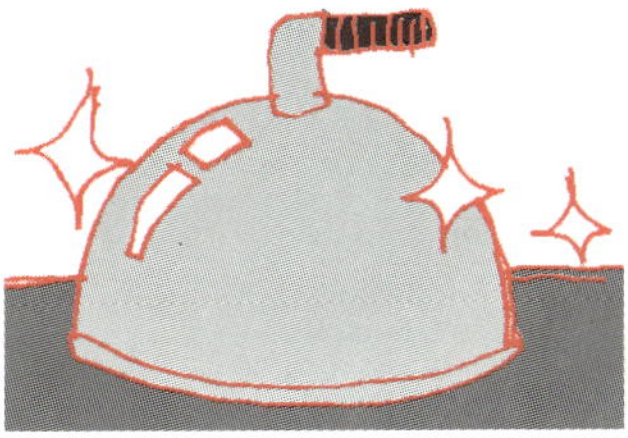

金物をギラっとさせるよう、演色性の高いランプでソフトな照明とシャープな光を取り混ぜましょう。

鍋ダイニング

女性がエレガントな雰囲気に浸れる美の土俵

近ごろは、「ちゃんこ鍋」以外にも、「もつ鍋」「中華薬膳鍋」「豆乳鍋」など、実にさまざまな鍋が登場しています。

そのせいもあってか、「野菜」「コラーゲン」「カプサイシン」など、美容目的で鍋を食べる女性も増えてきているので、あんこ型の力士を連想させてはいけません。また、一度にたくさんの食材を摂るには大変コストパフォーマンスの高いメニューともいえますが、あくまでエレガントでスマートに「お鍋をいただく」お店を演出してください。

A テーブル

サイズは広すぎないほうがよいでしょう。向かいの相手との距離が離れていると、「親密感」という鍋のメリットが薄れてしまいます。75センチほどの間隔とし、狭く感じるのであれば、その分だけ横幅を広げるようにしましょう。

A テーブルの素材

木は熱や傷に弱く、石は加工を含めて高価です。価格、メンテナンス性の面からメラミン化粧板がオススメですが、縁や脚などが高級に見えるような工夫を凝らしたい。

鍋の向こうの彼女は
ソフトフォーカス。

[MEMO] Q.繁盛するお店にするにはどうしたらよいでしょうか？　A.リピーターを確保しつつ、新規のお客を増やすことです。それでも悪気なく来なくなるお客もいます。

B サプライズ感

老舗の和食屋のしつらえになりがちですが、もうひと工夫ほしい。エントランスにレセプション（受付）を設けて、黒服の店員がエスコートするくらいのサプライズも考えられます。

和風にこだわらず、スマートなサービスを心がけたい。

C サービス台

すべての作業をお客に任せるわけにはいきません。お客にサービスするためのワゴン式の台を設置するようにしてください。コンパクトで機能的なデザインのものがよいでしょう。

D 床の素材

フローリングや石がよいでしょう。カーペットは汚れやすいというデメリットがありますが、あえて使えば高級感が出ます。

E カウンター

カップルが横に並んで鍋をつつく睦まじいシチュエーションを想定します。目の前のサンプルケースには新鮮な魚介類、カゴには潤沢に盛られた季節の野菜など、思わず鍋に投入したくなるような食材をダイナミックにディスプレイすれば、2人の仲もよい感じに煮込まれるでしょう。

コラーゲンをとると翌朝、肌がツルンとしているのは鍋の塩分でむくんでいるだけとの噂も。

和ダイニング

可能性は無限大
和風の新解釈を提案しましょう

和ダイニングとは、ざっくりいうと、オヤジ臭を抑えたオシャレな和風の居酒屋です。合コンや恋人同士での利用も多い。

単価は少し高めとなるので、それに合わせて素材や照明も洗練されたものを選びましょう。

「和風」の可能性はまだまだあります。古材を使う場合でも、モダンでスッキリしたイメージに。泥くさい民芸調にはならないよう注意しましょう。

Ⓐ プライベート感

日本語でいう「しっぽり」を演出したい。とはいえ、スペースや予算で個室にするのが難しい。そんな場合には、緩やかに空間を仕切れるパーティションを活用してください。

Ⓑ いかに仕切るか

簾は閉鎖的にならず、お客の人数に応じて簡単に取り外すことができます。もちろん、見た目のかっこよいものがベストです。難題ですが、デザイナーならぜひ挑戦してください。

● 天然素材

昔はすべて本物の素材が使われていました。いまでは、こうした素材は「高級」とされています。

1年中正月気分を味わえるお店などいかがでしょうか。

● アイコン

竹は安価で軽く丈夫なスグレモノですが、藤森照信氏が「節ひとつひとつに和風と書いてある」と評するほど、ベタな素材です。安易に使うと、取り返しがつかなくなるので、使うときは工夫と覚悟が必要。

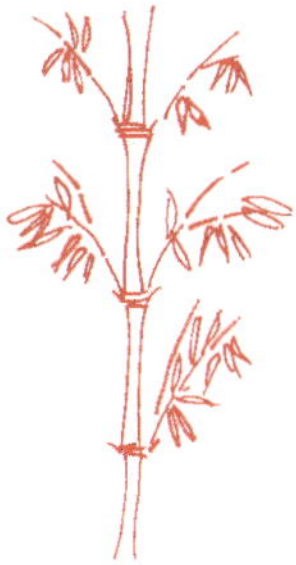

C 土壁

地元の土を使うとオーナー受けしそうですが、こだわる必要はありません。また、土壁は摩耗するので施工場所には配慮しましょう。丈夫な樹脂系の左官材もありますが、なぜか一目瞭然、ケミカルであることがバレてしまうので要注意。

D トイレの床

飛び石の周りに玉砂利敷きといった床を見かけますが、泥酔したお客が汚してしまうことも多いので、清掃しやすい仕上げにしましょう。

● 天井の仕上げ

スケルトン天井で暗い色にして、シックでミニマムな演出をしましょう。和風だからといってスギ板を張ると、旅館のようになってしまいます。

● 灯り

カップルが2人きりの世界に浸れるよう、狭角のスポットライトに。雰囲気が出るだけでなく、周囲が暗く見えにくくなるので、スケルトン天井と同様、内装コストを削減することができます。

懐石料理屋

和の粋を凝縮したような室《しつ》礼《らい》にいまっぽさをプラス

懐石料理は、お茶をいただく前に、腹ごなしのために食する簡単な季節料理のこと。「茶席」というおもてなしの付属イベントでした。千利休が発案した仕掛けも、メインだったお茶がカットされてしまいました。現在では、法事や接待のための利用がほとんどで、高価ということで避けられてしまうのは少し残念です。

そこで、原点に立ち戻り室内空間は茶室風にしてみたらいかがでしょうか。離れの個室をいくつか配置し、カウンターやテーブル席も設けましょう。離れは座りやすい掘りごたつ式がよいでしょう。

● 床の間

小さいスペースでもかまわないので、床の間を設けて一輪挿しを飾れば「侘び寂び気分」を演出できます。段があると、使い勝手が悪いので、床框はなしで畳と面一に。

● 灯り

部屋の中央にコードペンダントを下げるのはNGです。旅館のような雰囲気になってしまいます。飾りの障子や落とし掛けの裏や天井竿に照明を仕込んで、さりげなく灯すようにしましょう。

A 素材

京都の高級土壁・聚楽（じゅらく）などを用いたいですが、寄りかかるとはがれるおそれがあります。高さ60センチくらいまでは、樹脂系の左官材や板、和風のシートなどの丈夫な材料で仕上げます。

侘び寂びは地味なだけではありません。

[MEMO] Q.よいお店のインテリアとはどういうものでしょうか？　A.単価や客層、運営や立地など、あらゆる要素がマッチして、相乗効果を生み出せるインテリアです。

B 小物

襖の引き手や釘隠しなどは一般住宅で使わないようなものをさりげなく使いましょう。桂離宮で使用されたレプリカ品などもオススメです。

桂離宮の引き手のレプリカ。

機器的なもの

近代的設備である空調の吹き出し、給排気口は見せないように。床の間の落とし掛けの裏に隠したり、スギ板を桃の型に切り抜いて給気口らしく見せない工夫をするなど、手間をかけてお客の視線のじゃまにならないよう工夫します。

高齢者への気遣い

実は和風の部屋は、高齢者にとって過ごしづらい場所です。靴を脱いだり、縁側に上がったり、座敷で立ち上がったりする動作は、かなりの負担です。テーブル席もいくつか設けましょう。座布団を高くして背もつける、手すりをつける、飛び石をフラットに仕上げるなどすれば、多少の不便は解消されます。

和テイスト

手すり子の板に梅の透かし彫りを入れる、トイレ前に一輪挿しを置くなど、一度来店しただけでは気づかないくらい密やかな演出です。

C 外へのアピール

数奇屋造りを現代風に展開するとよいでしょう。造作は最小限で、前庭などですっきりつくるのがポイント。

ビストロ

カジュアルな客層に合わせてわかりやすい「パリ」を演出

気軽にフランス料理が楽しめて、安くておいしいワインをガブ飲みできる人気のお店です。女子会、カップル、同僚グループのほか、男同士でも利用できるカジュアルな居酒屋であり、レストランでもあります。

内装は、エッフェル塔の置き物や動物の油絵など、少しかわいい要素を入れるのがポイント。『ぼくの伯父さん』『アメリ』(※)などの映画が参考になります。

気取らなさ

ラフで楽しいパリを演出しましょう。オシャレで、おいしい、憧れのパリ。みんなが「あるある」と思う要素を散りばめます。でも、外に牡蠣売場を設けるまで追求する必要はありません。

A 床の素材

入口廻りは、モザイクタイルで縁取りを描くとよいでしょう。外からつながっているようにすると、店内が広く感じます。

B 壁の素材

モールディングを廻り縁や額風に使うと、ヨーロッパの雰囲気を醸し出すことができます。ただし、縁のデザインにはキレイに見えるコツがあるので、海外の資料などを参考にしてください。突き当たりの壁を全面鏡張りにすると客席がより広く見えます。ヨーロッパではよく使われる手法です。

わかりやすいフランスっぽさは大切です。

モールディング使いの匠を目指しましょう。

※『僕の伯父さん』ジャック・タチ監督、1958年公開。『アメリ』ジャン＝ピエール・ジュネ監督、2001年公開。

C テーブルとイス

素材は木が基本。テーブルは合板の天板にテーブルクロスをかけてもよし、アンティークでそろえてもよし。ただし、背もたれに聖書などを入れる箱がついている教会用チェアは避けてください。それに座って女性を口説いていると、バチ当たりな感じがします。

ワイン

立派なワインセラーより、ワインクーラーのほうがビストロの気分になります。オーガニック系などを中心に品ぞろえすると女子ウケするでしょう。

天井の仕上げ

スケルトン天井がよいでしょう。照明は配線ダクトにスポットライト。天井までパリを意識したものにすると、カジュアル感がなくなってしまいます。

看板はかわいいものに。

高級中華料理屋

中国三千年の歴史を背景に日本人好みのグレード感をプラス

　ちょっと背伸びをして高級な中華料理を味わえるお店です。とっておきのデートや接待、大勢で訪れても落ち着いて食事を楽しめます。店内にはゆったりした高級感が漂っています。

　工芸的で高価な調度品を買いつけてハイグレードっぽさを演出するのが定番ですが、それに縛られる必要はありません。もっとモダンでクールな空間が望まれます。

　中国のパターンや素材を取り入れる前に、自分なりのフィルターを通して高級感を表現しましょう。

A 座席

個室は必須ですが、プライベート感が出るボックス席にしてもよいでしょう。たくさんの人数にも対応できるゆったりした寸法で、リッチな雰囲気の座席にしましょう。

やりすぎ注意

高級感が必要とはいえ、特注品の螺鈿細工（らでんざいく）や細かい木彫りのレリーフばかりではトゥーマッチ。予算も納期も合わないでしょう。

風水

黄色の壁や緑色の床にするのはNGです。金色や赤色も避けたいところ。吉といわれる風水色もインテリアに沿った中間色にしましょう。モノトーンの中にスタンドの傘だけ赤いものにする、シャンパンゴールドを用いるなど、色使いも工夫しましょう。

制作したらかなりの予算がかかると思われる中華のフレーム。

[MEMO] Q.高齢者が増えていますが、デザイナーとしてどう向き合っていけばよいでしょうか？
A.お客はシニアではなく、元気な中年と考えるようにしましょう。

C 回転丸テーブル

同席した人との心の距離を縮められます。ぜひ設置したいものです。絵柄がエッチングされたガラス製の回転盤など、バリエーションも豊富。ただし、石のような重い素材は、「慣性の法則」で回転を止めにくいので避けたほうがよいでしょう。

D イス

本場の背に豪華な透かし彫りをしたイスは考えものです。空間が重くなりがちです。背が真っすぐに立ちすぎているので、くつろいで食事ができません。もっとカーブがあって、クッションの効いた背心地のよいものを選びましょう。

中華のイスの背は垂直に近い。

E 床の素材

高級店なので、床は清潔感のある石や特注のパターンを施したカーペットがよいでしょう。ボックス席をスキップフロアにすると、個室感を演出できます。車イスへの配慮も忘れずに。

B 壁の素材

金糸が入った布クロスは油で汚れそうで心配。粘着材付き化粧塩ビフィルムなどがよいでしょう。

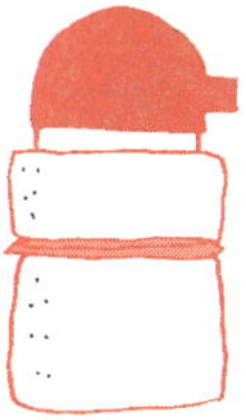

ふと入った街の中華料理屋のラー油容器。油がにじみ出て、ティッシュを巻いていました。絶対NG。

旅館

〝おもてなし〟の心を込めて伝統美の新解釈に挑戦

いまや多くの人がバリ島などのアジアンリゾートを体験している時代。欧米まで行かなくてもラグジュアリーなホテル空間を満喫できます。

　そうしたお客のニーズに応えるには、日本の旅館にもより洗練された和を感じさせる〝本物感〟が求められます。

　目指すはムダのない「マイナスの美学」。たとえば、真っ白でふっくらした布団はモダンかつシンプルです。そして、地域性を意識した地元の素材をスタイリッシュに取り入れましょう。

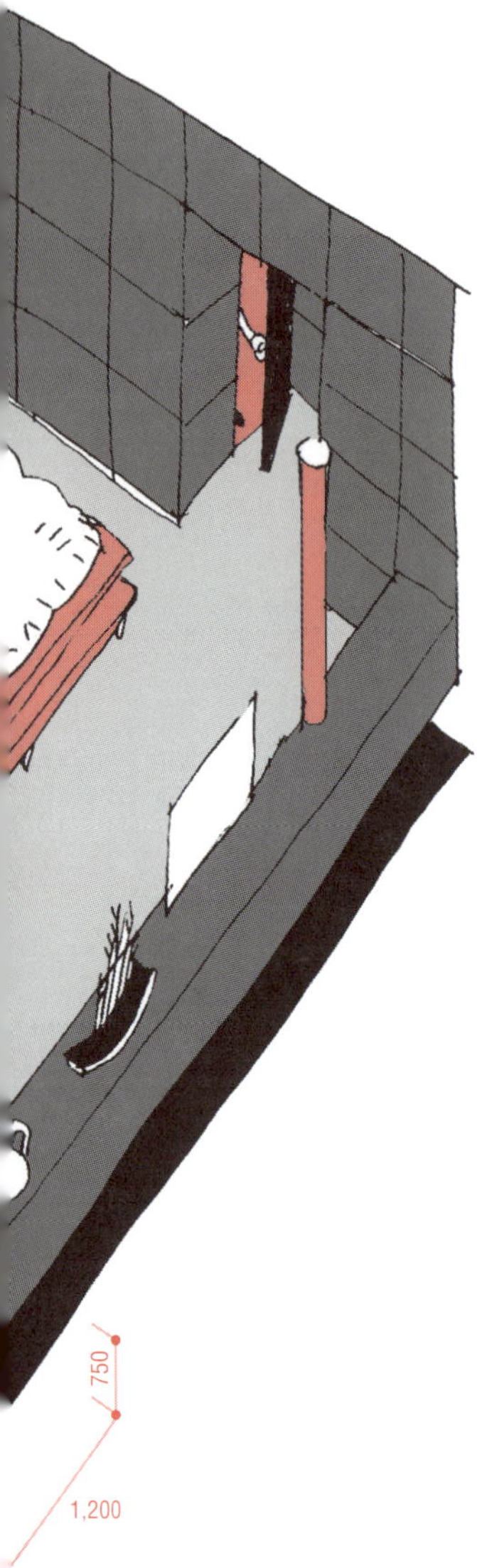

● 和洋の仕分け

旅館の「和」とホテルの「洋」。それぞれのどこを取り入れ、どこを削るかがポイント。基本は旅館のしつらえで、ホテル風のサービスを提供するとよいでしょう。

● 衣装

バスローブはぜひ準備しましょう。こうしたコスチュームに身を包むことで、トリップ感が増します。

● 興ざめする要素

荷物置きにしかならない床の間、白い冷蔵庫、ヒモが下がったコードペンダントなどがあると、お客の気分は盛り上がりません。

● 非日常のしつらえ

かなりの老舗でない限り、純和風の部屋にこだわらなくてよいでしょう。日常から離れたいお客が贅沢なひとときを体験できる客室にしましょう。

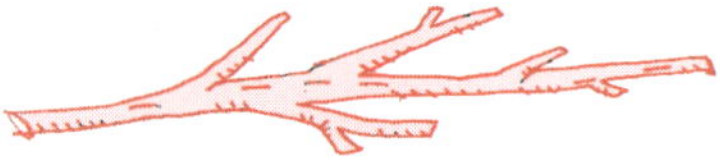

都市のホテルのようなリトグラフやシルクスクリーンではなく、流木をオブジェとして飾ります。

[MEMO] Q.ホスピタリティと関連する用語は？　A.病院を意味するホスピタル以外に、ホテル、ホスト、ホステスなどがあります。

眺望の妨げになる手すりや柵は設けず、植栽で区切って、風景と馴染ませましょう。

A アウトドアファニチュア

風呂上がりに籐のイスに座ってシャンパンを飲みながら、庭や山々などの絶景を眺めるなど、四季の空気を満喫できます。

B 露天風呂

部屋付きの露天風呂は、外界から独立した世界です。広めのテラスで湯船に浸かる気分は贅沢そのもの。スチームサウナ、ジャグジーもあると、よりセレブな気分です。

家電

テレビの存在はインテリアを台無しにします。ステキな部屋にはテレビなどがありません。どうしてもというのであれば、壁の中に納めましょう。冷蔵庫は小型のものを家具にビルトイン。空冷なので排熱に注意。

引き戸の奥にこっそり壁掛けテレビを設置。

スポーツバー

日頃の鬱憤を爆発させてOKな応援スタジアム

飲食しながら、みんなでスポーツ観戦ができるお店です。ただし、実際にお店に集まって盛り上がるのは、ワールドカップやオリンピックサッカー日本代表戦がほとんど。それ以外の日はお客があまり集まらないというリスクもあります。

スポーティなカジュアルレストランを目指しましょう。アメリカンなセンスで、明るくハッピーな雰囲気が出るようにしてください。サムライブルーをインテリアの差し色とするのはよいアイデアです。

Ⓐ 万人ウケ

特定チームのユニホーム（サイン入り）をディスプレイするのはやめましょう。そのチームに興味がない人、アウェイの人は寄りつかなくなるでしょう。どうしても飾りたいのであれば、日本代表のものを大きめの額に納めましょう。

Ⓑ ゲーム

お客がたわいないゲームに興じている姿は、その空間をハッピーにしてくれます。ビリヤードは見栄えはよいですが、スペースが必要なので、小さな店には不向き。ダーツは設置場所に気をつけないと、トイレに行く人を仕留めかねません。

ディスプレイ品はきちんと飾りましょう。洗濯物ではありません。

インテリアは明るくハッピーに応援したくなるものに。

［MEMO］ Q.飲食店の寿命は何年？　A.飲食店の95％は2年で閉店しています。2年以上継続しているお店には敬意を払いましょう。

C イスとテーブル

国際試合のある日は稼ぎどき。その日に対応できる家具が必要です。映像が見やすい場所に気軽に移動できるイスとテーブルにしましょう。ハイテーブルなら立ち飲みもでき、たくさんのお客を収容できます。

お客はハイテンションになります。お店の安全性には十分に気を配りましょう。

C 頑丈な家具

お客がエキサイトしてもよいように、コジャレたキャシャなつくりではなく、多少のことでは壊れない家具を選びましょう。角のないもの、倒れにくいものなど、安全性にも配慮すること。

D 注目の的

観戦用のテレビは重要です。座席の配置も考慮しながら、プロジェクタとモニタを効果的に使い分けます。テレビは照明にもなるので、なるべくたくさん設置しましょう。

E カウンター

立ち飲みもできる高めのものを設置しましょう。110センチ程度が目安。混雑時はカウンターでキャッシュオンデリバリーにします。お客が活発に動いていると、お店自体も活気づきます。

大勢の人が立って寄りつける高さに。

大衆酒場

レトロな雰囲気で昭和が蘇るおじさん天国に

千円程度でベロベロに酔える飲み屋のことを、「せんべろ系」とも呼びます。客層は低所得層だけでなく、昭和を懐かしむシニアや、ノスタルジーブームに惹かれる若い男女なども来店します。

お酒はビール、焼酎、泡盛からホッピーなど安いもの中心。昔ながらの酒場の雰囲気を味わいながら安いアテなどとともにさっくり飲むことができます。

店内は、昭和30年代初頭の下町のイメージ。かつての高度成長期前夜の熱っぽさを味わえる敷居の低さを目指しましょう。

A 床の仕上げ

土間風のモルタル金ゴテ仕上げでよいでしょう。既存のまま不陸や穴のみを補修して、ウレタンクリアのトップコートを施すという方法もあります。

B 壁の密度

メニューは、黒い木の板に白の筆文字で書いた札を整然と並べます。ラベルが美しい金宮のボトル（キープ）を並べてもよいでしょう。

C 調度品

アンティークの柱時計を置くなどもよし。この手のものは、あくまでお飾りです。動いていなくとも、故障中ということでOK。神棚やだるま、熊手などのありがたい縁起物もオススメ。

大衆酒場はおじさんのパラダイス。

D カウンター

長く営業を続けているお店のように、木が手慣れしていればベスト。新築物件の場合は、真新しいピン角の木材は使用せずに、古材を使ったり、ペーパーをかけて角をRにするなどして手になじむようにしましょう。

間口によっては縄のれんもアリ。

E 外へ醸し出す情緒

木製の引き戸がよいでしょう。「ガラガラ」という音も風情があります。遠くからよく見える赤い提灯も必須です。

F のれん

白地に黒い筆文字で屋号を大きく太く書くと潔く感じられます。

G イスとテーブル

基本的にはローコストでつくると、当時の雰囲気になります。カウンターで立ち飲みが基本ですが、ビールケースにベニヤ板を載せたテーブルも。ベニア板には太鼓のようにビニールのテーブルクロスを張りましょう。

● ほどほど感

ホーロー看板を壁につけたり、エイジングをしたり、日活のポスターを張ったりするのは、お客からすると「これが好きだろ！」といわれているようで、気分のよいものではありません。そのさじ加減には十分に注意。

ビアガーデン

夏はもちろん、冬でも楽しく過ごせる外空間

ビアガーデンは夏の風物詩ですが、それだけではもったいない。できれば5〜10月くらいまでは営業したいところ。巨大な屋上や庭にはこだわらず、気持ちよい屋外空間であれば大丈夫です。

テーマはリゾートですが、ヤシの木などに頼ると、涼しくなった頃には、ヤシも枯れて、イメージが合わなくなってしまいます。もっと広義のリゾートを目指し、都会の喧噪から離れすぎず、それでいて自然や季節が感じられる癒しの空間にできるとよいでしょう。

Ⓐ 緑化

省エネ対策の屋上緑化は、お店の演出として活用したい。野菜やハーブを植えて、昼にカフェを営業してもよいでしょう。お客にはその気持ちよさを味わってもらえ、管理する人の張り合いにもなります。

● 駐車場の活用

パーキングが1年中満車となるケースはほとんどありません。お酒はNGですが、モーターファンが集うガレージカフェや、子どもが遊ぶ姿を眺められる公園カフェにするのもよいアイデアです。

ハンモックで気持ちよく過ごしたい。

● ハンモック

イスとテーブルだけでなく、ハンモックやビーチベットにしてもよいでしょう。庭の木陰で過ごす気持ちよさを演出できます。

[MEMO] Q.飲食店を利用する際、「食べログ」や「ぐるなび」を参考にしますか？　A.します。口コミが1件もないと不安になります。★は当てになりません。

● 夜景

ビルの高いフロアから夜景を眺めると、ぜいたくな気分を満喫できます。花火大会や夕陽や星が見られる空間はそれだけで価値あり。

● ビルオーナーへお願い

屋上は都会の貴重な屋外空間です。空調の室外機や変電室の隠し方、トイレの設備や手すりのデザインなど、ビル建設計画のときから屋上の利用を前提に考えられていれば、もっと素敵な空間になるでしょう。

B 家具

夏だけの仮設だからといって、チープなアルミやプラスチックの家具を置くのはよくありません。軽くて重ねやすいという利点はありますが、ワンランク上げたいところです。外用ソファを開発してみましょう。

● 冬場の営業

温暖化してきたとはいえ、冬に「かまくらカフェ」などといった屋外営業は厳しい。不動産契約の際には、利用期間や時間など、臨機応変に対応できるようにしてほしいものです。

基本はセルフだが、サーバーガールが来るのも楽しい。

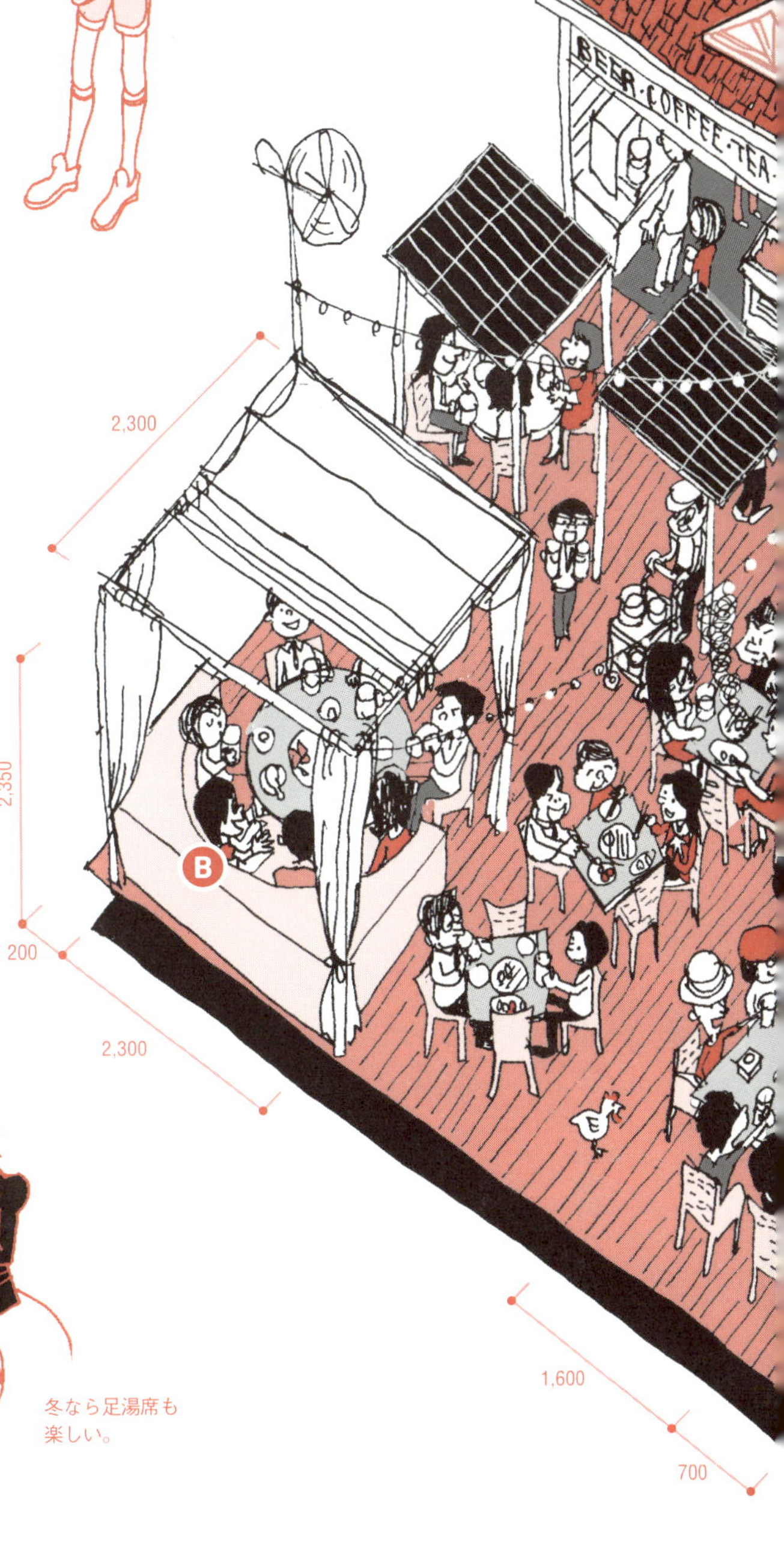

冬なら足湯席も楽しい。

立ち飲みワインバー

1週間に何度も行きたくなる大人の寄り道ポイント

ワインもワンコインで飲めて、スパークリングやカヴァなどの「泡モノ」もグラスでいただけるお店。

少しハイグレードなジャンルのお店に見えれば女性も活用します。帰宅途中や2次会などに、フラッと立ち寄れる気軽さを設えましょう。

立ち飲みなら、自由に移動でき、異性にも気軽に声をかけやすいので、肉食系にはもってこいのお店といえるでしょう。

メインは肉料理。赤ワインとともにオススメしましょう。

● ムード

スペインバルのような装飾的なタイルを張った異国情緒のあるインテリアもよいですが、むしろモダンでシンプルな雰囲気にしてお客がかっこよく見える空間にするという手もあります。

A 照明

照明はあまり暗めでなく健全な雰囲気にしましょう。代わりに床壁天井をダークな色にして、大人の空間であることをアピールしてください。

B 支払い

支払いはキャッシュオンデリバリーで。少し面倒ですが、それによって店内に動きができて、活気が生まれます。お客同士の交流が生まれるきっかけになるかもしれません。

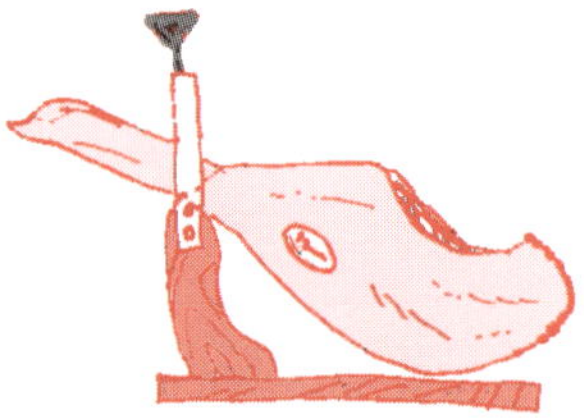

ハモンセラーノの骨付き生ハムの原木は演出にも使えます。

[MEMO] Q.インテリアがかっこよければお店は繁盛する？　A.かっこよさは必須ではありません。また、どれほど料理がおいしいお店でも成功するとは限りません。

C ワイン

ボトルは、なるべく多くの種類を用意し、自由に選べるようにしてください。ボトルに値段を表記したり、ちょっとしたコメントを入れたりするのもよいでしょう。予算に余裕があれば、ソムリエを置いて、フランクに相談できるようにもしたい。ボトルの栓を開けても酸化しないディスペンサーもありますが、高価です。

ワインのボトルに直接、価格と特徴を書くとよいでしょう。

D グラス

グラスラックは便利です。照明の当て方次第で、シャンデリアのようにキラキラと輝きます。

E カウンター

毎日通いたくなるような気軽さを演出するためにも、カウンターを充実させましょう。男女問わず、会社帰りに1人でフラッと立ち寄り、お店の人とフランクに交流できるように。

樽の高さは95センチが目安。

ガールズバー

キャバクラ未満のお手頃感で最大級のサービス空間

キャバクラよりも少し安い料金で楽しめるお店。キャバクラはお客を「接待」する場なので、風営法で営業時間などが規制されています。ですが、カウンター越しなら「接待」には当たらないという店側の一方的な解釈で、ガールズバーは風営法の適用を免れています。

演出のポイントは、「高級感から少しハズした感じ」。クラブのような高級感を醸しながらも、カジュアルで楽しい雰囲気の空間に。敷居が低くなって、お客は気軽に来店したくなるでしょう。

A カウンター

お客と店員女性を隔てる役割を果たす、最も重要な造作です。直接触れるものなので、デザインばかりでなく、感触やイスとのバランスにも気を配りましょう。

B イス

ハイチェアが一般的。座面は70〜90センチくらい。ヒジ掛けはいりませんが、座面と背はクッション性のあるラグジュアリーな感じがよいでしょう。

C バックバー

お酒やグラスを置くバックバーは、お客が眺めることの多い場所です。ここは最優先で「ステキ」なところにしましょう。ガラスの棚で間接照明にする、棚にLEDを仕込んでグラスやボトルを光らせるといった手法があります。前に立つ女性を美しく見せるアクセサリーのように設えましょう。

[MEMO] Q.風営法上で、カウンター越しなら接待には当たらない？　A.実際の条文にそのような記述はありません。

D 壁の素材

お客が背を向けるところなので、力を入れなくてよし。お金をかけずに仕上げましょう。ただし、安いなりにもキラリと光るような工夫は施します。

E 灯り

キラキラしたクリスタルのシャンデリアがオススメ。それだけで高級感と華やかさが出ます。

F 更衣室

バックヤードだからといって、雑に扱ってはいけません。明るくて清潔感のある空間を目指しましょう。ただし、居心地がよすぎると、店員の溜まり場となって、女性同士の余計なトラブルが起こることもあります。

ガールズバーでは、バーテンの技術を求めるべからず。

キャバクラ

大人のファンタジー空間を創造する

　若くてキレイな女性が隣に座ってお酒を注いだり、話の相手をしてくれるお店です。風営法の二号営業に該当し、料金は時間制。銀座にあるようなクラブの「言い値」とは異なります。

　お客に楽園を味わってもらうには、店内はほどよいファンタジー感が大事。もちろん、子ども向けのテーマパークではありません。男性はある意味子どもで、「ママ」や「オネエちゃん」が好きですが、一応大人。大人向けのファンタジーを目指すようにしましょう。

Ⓐ 通路

エントランスからの通路は、日常を払拭する滑走路です。お客も急に日常から楽園へ意識を切り替えるのは大変でしょう。通路はできるだけ長めにして、スムーズに離陸できるようにしましょう。

Ⓑ 光の色

女性をキレイに見せるには、照明は重要です。血色がよく見えるように照らす必要があります。色温度が高く青白い光だと、ピンクな血色でも黒ずんだ感じに映ってしまうので気をつけましょう。

Ⓑ 光の当て方

テレビなどでは正面や下からタレントの顔を照らして影や小ジワを消そうとしますが、お店の場合にはまぶしすぎて迷惑です。白いテーブルにして反射させたり、低めのフロアスタンドでカバーしましょう。

照明はソフトに当てるように。

C ソファの弾力

ポイントは、「へたりにくいギリギリの硬さで柔らかく」。硬いと電車のイスのようだし、柔らかいと座面が凹んで、くつろげません。搬入当初のソファは少し硬めです。オーナーには事前にお断りしておいたほうがよいでしょう。

偉そうにソファにくつろぐのはNG!

D 床の素材

カーペットが基本。ワインをこぼすこともあり、シミが目立たないよう、明るい色のものは避けましょう。カーペットの下にフェルトを入れるとクッション性が増して高級感が出ますが、スタンド照明などは座りが悪くてフラフラします。

E バーカウンター

あまり利用するお客はいませんが、お酒を出すスペースであり、店の中では目立つアクセサリーともなります。魅力的なカウンターをつくりましょう。

キャバクラは明朗会計。
みんなで行くと楽しい。

オーセンティックバー

またげないほどの敷居で出迎えましょう

本格的・伝統的なバーです。「落とせるバー」とも呼ばれるお店。1人で飲みたいお客には声をかけないといった大人のサービスも味わえます。

単価はそれほど高くはありませんが、お店によってはドレスコードがあり、ジーパンや半ズボン、サンダルは入店NGの場合もあります。ここで優雅に振る舞えれば「大人の男」という称号もほしいままです。

演出のポイントは敷居の高さ。それでいて居心地がよく、ぐっと洗練された雰囲気を醸し出すようにしましょう。

A インテリア

高級感は必要ですが、装飾でキラキラさせる必要はありません。クラシックで重厚感のあるモールディングを使ったデザインのほか、モダンかつシックなデザインでもよいでしょう。

B 灯り

店内は暗めで、ミステリアスに思えるような照明を心がけてください。ただし、バーテンダーが作業しやすいよう照らし方は工夫します。

C 扉

会員制風です。大袈裟なくらい重くて大きいものがよいでしょう。シンプルでありながらも凝ったデザインを心がけてください。

石の床はピカピカにしておきましょう。

D 素材

高価な材料がよいでしょう。大理石ならオニックス。裏から光らせると優雅です。木ならチークやローズウッド、マホガニーなどの素材がありますが、使い方によっては偽物に見えてしまうこともあるので、使用場所や仕上げ方法には気をつけましょう。

D カウンターの寸法

奥行きは広めにとって、70センチ以上は設けたい。素材は木でも石でもよいですが、ヒジをついて休めるような断面にしましょう。ハイチェアよりも、低い席のほうがフォーマルな感じがします。

E テーブル

石材は強靭さや冷たさが強調されます。木材は自然への親しみと温もりを感じます。樹種を厳選し、木目にもこだわると、かなり高級感が出ます。

F イス

革張りがオススメ。ビニールレザーとは感触が違います。高価な買い物になるので、予算と要相談です。

● トイレ

緊張感のある客席から開放される唯一の場所。女性を口説く次の作戦を考える空間として、落ち着いた安心感のあるデザインにしましょう。

自分がジョージ・クルーニーになっていると思えるくらい、錯覚できる空間に。

屋台

軽量なものでつくられた 設営、撤収が容易なミニマム店舗

ミニマムな店舗といえば縁日の屋台です。露店、夜店、テキ屋ともいいます。

売り物は、定番のたこ焼き、りんご飴、ソースせんべいのほか、高級路線のステーキ串もあります。ドネルケバブ、チヂミ、餡餅（シャービン）などのエスニック系、唐揚げ、横手やきそばなどのB級グルメ系など、実にさまざまな食べ物で展開されています。

屋台は軽量で、設営、撤収が容易。機能的にも優れています。たとえば、神輿が境内に入ってきたときには軒をたたんで通せるほど自由なつくりです。

縁石をイス代わりに。

しくみ

アルミのパイプでつくられています。テント地の屋根、台の腰から下はメラミン化粧板のパネルが多いようです。

サイン

テントは看板を兼ね、遠くからもわかりやすい色と文字で構成されています。ひねりのない大きな文字は、祭りの華やかさとあいまってハレな気分にしてくれます。

刺さるコピー

サインの頭につく「特製」「美味」「元祖」「味自慢」などは、ある種の情緒を訴える言葉。特に意味はありません。

灯り

かつてはアセチレンランプを照明としているお店もありましたが、最近は発電機による灯りになりました。消費電力の少ないLEDなども見かけます。

アセチレンランプ。先っぽの形が気になって、まぶしいのについ見入ってしまいます。

● 火気の使用

発電機の燃料はガソリンで気化しやすいので、火の扱いには慎重を期す必要があります。必ず消火器を用意すること。

● 香り

焼きそばの場合、ソースの香りが重要なサインです。ソースを垂らしているお店もあるようです。

● スペース

区画は「ショバ割り」で厳密に決められているので、簡単には拡張できません。限られたスペース内で、食材のストックやお金の管理場所などを決めます。

● くじ

くじは子どもが喜ぶので、ぜひ導入したい。当たったお菓子で、友だちに「おごる」という初体験ができるかも。

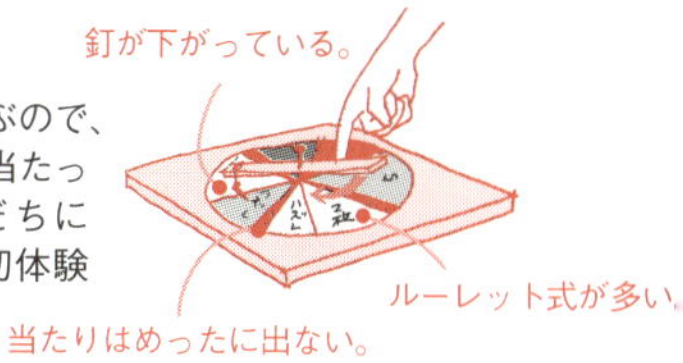
釘が下がっている。
ルーレット式が多い。
当たりはめったに出ない。

リヤカー型屋台

夜店のモバイルタイプです。ワーゲンバスによる移動屋台では、ピッツァやハンバーガー、ロコモコ弁当などが販売されており、街なかでもしばしば見かけるようになりましたが、おでんの屋台は絶滅の危機に瀕しています。

屋台は、用途によって、リヤカーをカスタムしてつくります。

食べ物を提供するので衛生管理者の許可、軽車両に該当するので所轄警察の許可などが必要です。もちろん、屋台を引く人の飲酒は禁じられています。

おでん
おでん
2,050
1,350

コンビニ

モノというより便利を販売 私たちにとって、次なる「便利」は？

便利を追求してきた結果、コンビニが誕生しました。ですから、コンビニ本社のワンマン社長が決めたり、頭脳明晰な人たちがアイデアをひねり出して、いまの姿になったわけではありません。

コンビニはすでに完成形と思われます。どのコンビニも、ロゴやイメージカラーは違っても、中身はそれほど変わりません。

それでもデザイナーとしては、そろそろ新しい展開を生みたい。何が私たちにとって「新しい便利」なのかを考えながら、頼まれてもいないのに、その可能性を描いてみたくなるのです。

A 棚

肉や野菜、魚などが販売されていると、さらにコンビニエント（便利）です。しかし、専用の売り場を設けるほどではありません。冷蔵機能のついた棚を同系列店で巡回させます。時間を決めてスーパーより新鮮な初物などを扱うとよいでしょう。

B サービスの絞り込み

いろいろなサービスを受け付けるカウンターとキャッシャー、コピーや電子レンジなどの機器、セルフ販売機、イベント空間があればよいでしょう。情報とライブ感のある体験に絞ります。足りないものがあれば、ほかのコンビニに行ってもらいましょう。

C ライブ販売

お店自体をアミューズメント施設と考えて、巧みなセールストークができる店員を配置したい。子どもを対象にした、ゲームの名人による模範演技や裏技紹介もします。

もはや、本部とネットワークされたオペレーションが商材。

［MEMO］Q.最近はどの駅でも同じようなチェーン店ばかり見かけますが、なぜでしょうか？　A.大手資本のチェーン店のほうが潰れにくいからです。それでも潰れることはありますが……。

D 1曲ボックス

ストレスのたまっているお客向けに、大声で歌うことができる空間を。スペースもあまりないので、歌える曲数は1人1曲にしてもらいます。

防音機能を完備して、カラオケだけでなく、大声で悪口をいう、懺悔するなどもできます。

E ランキングシェルフ

さまざまなテーマでランキング順に商品を棚に並べます。実際に商品を見たり、触ったりできるようにしておいてください。客層や季節に応じたテーマを設定し、毎週ランキングを更新します。

灯り

24時間営業のうえ、冷蔵庫や空調などの電気使用量も多くなります。床材や壁を白くして、照明はLEDにします。しかしそこは、省エネを考えつつ、素材感やダークな色も取り入れましょう。

どうしてあんなに明るいのか？ そのほうが売れるからです。

癒し系雑貨店

モノでなごみ、モノで癒される
ときを忘れる探索空間

現代社会は実にストレスフルです。疲れた心を雑貨は癒やしてくれます。

天然素材でつくられたかわいい小物などは、購入せずに眺めているだけでも心がなごみます。

店内は、全体的にユルい空気が漂う空間にしましょう。神経質で緊張感のあるフォルムや素材は避け、「やさしいお母さん」のようなデザインにしてください。

モノで癒されるのはお手軽です。

● 素材のセレクト

木などの天然素材が基本。リサイクルやリユースされた持続可能な材料もよいでしょう。

● イメージ

環境意識や温故知新、健康などをセンスよく展開させましょう。たとえば、昭和の住宅をリノベーションして使ってみてはいかがでしょうか。レトロなユルさがオシャレだと喜ばれます。

● 色合い

清潔感とモダンさを持ち合わせたオフホワイトを基調に。室内が明るくなって、商品の見栄えもよくなります。塗り方は素人っぽさがあってかまいません。

ディスプレイのセンスが問われます。

[MEMO] Q.次第にインテリアは古くなっていきますが、どうしたらよいでしょうか？　A.日々メンテナンスをすることと、毎月、改修の費用を積み立てるとよいでしょう。

A 床の素材

ケミカルな材料は避け、木のフローリングにしましょう。田舎にある木造校舎の床のようなイメージです。

B 商品・ディスプレイ・調度品

店内のものはいずれも売り物になりうるので、お店のコンセプトに沿ったものを置くようにしましょう。領収書やクリップなどを含め、店内にあるものすべてに気を配るように。

C お金

キャッシャーカウンターのようなものは避け、アンティークの机の上にレジを置いたり、引き出しで済ませたりしてもよいでしょう。さりげなくお金のやりとりが行われるのが理想です。

フランス人デザイナーのツェツェが考案した、豆球が入ったキューブライトはかわいくてオススメ。

メガネショップ

メガネは日用雑貨。ファッションだと気負わず

ひと昔前までは、メガネは秀才や発明好きなキャラクターの必須アイテム、視力が低い人向けの道具でした。ところが最近ではPC用、花粉防止用など、機能が広がっただけでなく、レンズを含めて1万円以下といった手ごろな価格で、オシャレな商品がたくさん登場しています。

ただすき間なくメガネが並べてあるようなお店では、何がよいのか迷うばかりです。かっこよいお店ができれば、そのセンスに任せてメガネ選びも楽になるでしょう。

A ガラス使い

レンズから発想されるガラスは、メガネショップの王道の素材。鏡との相性もよく、クリアな清潔感は顔に直接装着するメガネのイメージにピッタリ。

B 平台

お店の雰囲気はここで決まります。ガラスやアクリルの内照式、アンティークの木のテーブルなど、さまざまなものが考えられます。回転寿司のように勝手に回ったり、中華テーブルのように自分で回すのも楽しい。

C 検眼機

生々しい器具は眼科医を彷彿とさせ、ファッション性とは無縁な気分にさせられます。個室風にして、検眼機は隠しましょう。身体機能に関する情報は個人情報でもあります。

スタッフ選びはメガネが似合うかを基準に。

［MEMO］Q.CADが好きではありません。図面は手描きでもよいでしょうか？　A.部下がいて、今後、数年で定年となるのであれば問題ありません。

D 照明

目の悪い人が来店するので、明るめにしましょう。また、メガネのツルの部分に繊細な加工が施されているものも多いので、それがはっきり見える光にしましょう。

E 鏡

テーブルの上に化粧鏡のような小さいサイズのものを設置しているお店もありますが、できれば全身を映せる鏡を用意しましょう。体全体を見て、ファッションや自分の雰囲気をチェックできることが重要です。

F イスとソファ

スペースがあれば、ぜひ設置したい。購入してから商品を受け取るまでの待ち時間や、友人や恋人と来店の際に座るスペースがあると大変重宝されます。お店が混んだときや、なじみのお客に新作のフレームを紹介するときには、貴重なコミュニケーションの場となります。

鏡は適切な場所に設置すること。

付き合ってもらった人にも居場所を提供。

アパレルショップ

衣服以外の販売品にも気を配り、統一された世界観を

一般的にアパレル＝服飾と認識されていますが、生活関連のグッズも含めた物販店というイメージに変わってきています。

衣服だけでなく、靴やアクセサリーから、インテリア、雑貨、本などを含め、統一された世界観（コンセプト）を伝えることによって、ライフスタイルを提案しています。

ブランドのコンセプトを理解し、その精神を明確な形で表現することが重要です。

Ⓐ 什器

商品のサイズや色はひと通りそろっていればOK。多すぎてごちゃごちゃしていると、倉庫のようになってしまいます。

Ⓑ オリジナリティ

衣服だけ並べればよかった時代は終わりました。さまざまな商品に対応できる棚が必要です。ただし、既製品のユニット棚は興ざめです。スーパーの衣料品コーナーのように見えてしまいます。

Ⓒ フィッティングルーム

試着室は隅や裏のほうに配置しないようにしてください。少し気になる程度の服でも、ちょっと入って試着してみたいと思わせるような、魅力ある小部屋に設えましょう。

Ⓓ バックヤード

店内とは違い、できるだけ量も多く多様な商品を収納できる棚にします。お客には見えなくてもイージーなデザインにはしないように。スタッフのモチベーションが下がります。

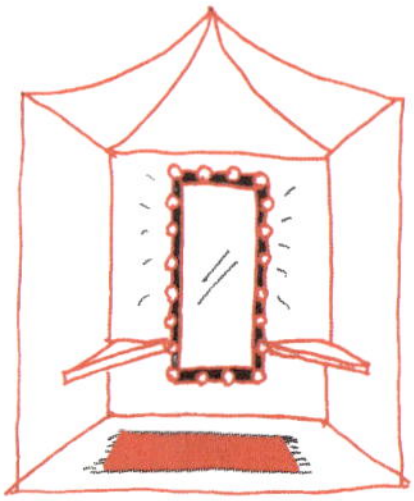

鏡のサイズや荷物置きにも気を配った広い空間を用意しましょう。

［MEMO］Q.施工の現場には高齢の職人が多いですが、大丈夫でしょうか？　A.問題があります。技術を受け継ぐ若い大工さんが少ないので、凝ったデザインをつくれる人がいなくなるかも。

F 灯り

明るすぎてダメということはありません。商品の色や形を選びやすい明るさにします。フィッティングルームの照明は鏡側に設け、普段よりもよく見える当て方にしましょう。

G サイン

これまでの看板には小さかったり、下のほうにあったりと、変則的なものがありましたが、見た目さえよければ、大きい看板でも違和感はありません。

店名の表示場所にも気を配って、オシャレさを追求。

H 外へのアピール

入口はあまり難しく考えず、お客が入りやすいデザインにしましょう。たとえ路面店でも、デパートのエスカレーター前に出店されているくらいの入りやすさで。

I ショウウィンドウ

女子はウィンドウショッピング目的で外出するくらいですから、ショウウィンドウには力を入れてください。ディスプレイは、商品を見せるというよりも、アート感覚で配置して、お客の目を引きつけるように。閉店後のお店の見栄えにも気を配りましょう。

E キャッシャー

入店したお客全員が購入するわけではないので、入口付近に設置する必要はありません。むしろ、「あれ、レジはどこにあるんだろう？」と思うくらい、空気のようにさりげない場所にあるほうがよいでしょう。

インテリアショップ

生活感は気にしないセレブなあなたのためのお部屋をどうぞ

いまやインテリアショップは単なる家具屋ではなく、暮らし方を提案する場所といえます。

オーナーのこだわりによるインポート系ショップ、北欧デザインでコストパフォーマンスがよいお店、シンプルを追求したお店などいろいろあります。

低いキャビネットに大画面のテレビ。ダイニングテーブルにはシャンパングラス。その風景は新築マンションの広告のようです。インテリアショップにはそんな「身のほどを知らせない演出」が求められます。

● 天井

ニュートラルなイメージにするにはスケルトン（むき出し）にするとよいでしょう。色は白でも黒でもかまいません。照明用配線ダクトだけでなく、ディスプレイ用の吊りレールなどがあると便利。

● スタイル

展示される商品は次々と入れ替わるので、具体的なスタイルを提示する必要はありません。求められるのはフレキシブルな空間。商品の見栄えがよくなることを優先しましょう。

Ⓐ パーティション

吊りレールを利用してゾーンを仕切ると、シチュエーションごとにインテリアを提案できます。空間は仕切りすぎず、透ける素材で軽く隔てる程度にしましょう。

マンション広告の写真に出てくるようなインテリアが理想的。

Ⓒ イス

キャッシャーの周囲に配置し、家具を配達する手続きの際には座ってもらいましょう。実際にイスの座り心地を体感してもらうことで、商品購入につながることも。ただし、汚れやすいものやへたりやすいものは置かないように。

Ⓓ アート

高価なため、実際に購入する人はほとんどいませんが、お店の雰囲気づくりのためにはぜひ置きたい。基本はモダンアートで、わからない感じのものがよいでしょう。海外のインテリア雑誌に登場するような雰囲気になります。ただし、あまり重たい油絵は避けるように。

● 価格表示

インテリアを乱さない、小さめのかっこよいものにしてください。サイズや仕様はわかりづらくてもかまいません。こうした情報は直接尋ねてもらうことで、店員がお客とコミュニケーションするきっかけにもなります。

Ⓑ キャッシャー

インテリアショップなので、お客が気後れするくらい洗練されたデザインにします。

富裕層ファミリーが対象。Tシャツでも1万円を超えます。

ライブハウス

お酒と音楽を一緒に味わえるツウな大人空間

生演奏が聴けて、お酒も飲めるお店です。音の振動がお腹に伝わったり、耳の裏がゾワッとする体感はライブでしか味わえません。ロック、ジャズ、フォーク、ビートルズのトリビュート系など、種類によってお店の雰囲気は異なります。

ジャズ系はシニアの客層が多く、狙い目のジャンル。若者を対象にすると、タテノリで床が抜ける、開場前に並ぶマナーが悪いなど、何かと扱いが大変です。大人相手なら、そうした悩みからは解放されそうです。

● 防音

防音工事にはかなりの予算がかかります。お金がなければ店員が自分たちで天井躯体に鉛を張ったり、再生紙のタマゴのパックを張ったりするなどの工夫をしています。騒音の苦情については、警察も厳しい対応をとるため、十分に配慮すること。防音を最優先にするのであれば、地下フロアに1店舗しかないようなビルが最も向いています。

● 素材

ジャズなら渋い焦げ茶色の木やレンガを素材に使いましょう。以前はタバコのヤニが最後の仕上げとしてうまく機能していましたが、嫌煙が主流のいまは受け入れられないでしょう。最初からヤニ感が出るように計算して色を決めるようにしてください。

● 天井の仕上げ

スピーカーや照明が目立たないよう黒で統一しましょう。天井が低くてもさほど気になりません。

再生紙のタマゴパック。防音の際に活用されていますが、実際の効果は不明。

[MEMO] Q.現場監督とデザイナーはどう違うのですか？ A.工程や職人の手配など工事を監理するのが現場監督、デザイナーはデザインを監理します。

A 電気設備

ロックだと電力は欠かせませんが、ジャズなら生音でも可能。それでも、ボーカルやキーボードに電力を使うバンドもあります。小さなミキサーくらいは置けるスペースを確保しましょう。

入口に出演者と予定時間を表示。

B イスとテーブル

出演するバンドによって、集客数が変わるので、テーブル、イスは可動式のものにします。イスだけ、スタンディング、テーブルで飲みながらなど、さまざまな状況に対応できます。ただし、スタッキングチェアにはなかなかよいデザインのものがありません。気に入ったものがなければ、多少片付けにくくてもデザインがよいものを選びましょう。

C バーカウンター

カウンターのイスは手軽にステージのほうに体を向けられるよう、回転式のものに。

灯り

ロックでなければ派手な照明にする必要はありませんが、キレイな女性ボーカルにはスポットライトを当てたくなります。

無茶なノリは別のお店に任せたい。

マイクロバー

ほどよい〝やさぐれ感〟でチャーミングなお店をつくりましょう

10㎡前後の小さなバーで、店内はカウンター席に6～7人くらいのお客が座れる程度の空間です。

アングラ感が満載で、劇団のポスターやフライヤーが張られ、ソウルやブルース、ロック、80年代歌謡曲など、音楽もお店によって特徴をもたせています。なかには、カフェっぽく若い女の子が割烹着姿で接客するようなところもあります。

小さいお店なので、コンセプトを伝えやすい。それがお客にフィットすれば「毎日行きたくなる」「人を連れて行きたくなる」チャーミングなお店となるでしょう。

A アングラムード

狭いお店の場合、シンプルにまとめようとしても、すっきりでなく、むしろ貧相になりかねません。ごちゃごちゃしたところに潜り込んで酒を飲む「穴ぐら感」を演出してみては。多少はレトロ感や場末感があるとよいでしょう。後ろめたくないけれどやさぐれた感じがよいスパイスとなります

B カウンター

ハイカウンターのほうが場所をとらないので、メリットがあります。天板の素材は木のほかに、メラミン化粧板でもOK。石やガラスだと、かしこまった感じになるので避けましょう。

灯り

怪しくならない程度の暗めに。バックバーも間接照明などの小技は不要。ブラケットやスタンドは邪魔になるのでダウンライトがよいでしょう。

C ボトル棚

客層と単価を考慮して、多すぎず、少なすぎずの陳列棚に。入らない場合はカウンターに並べてもよいでしょう。

震災後は、ボトルにこぼれ止めをつけるようになりました。

[MEMO] Q.お店でのユニバーサルデザインの考え方は？　A.すべてのお客に対し、想像力をもって注意深く観察して、フォローすることです。

D イス

1本脚のスツールか、低い背があるものに。床に固定できるものだと、いつもキレイに並んだ感じになりますが、そこまでする必要はないでしょう。

E 食事メニュー

乾き物だけでもよいですが、IHやひと口コンロなどを設置して、簡単な料理でも温かくして出せると、寒い時期には喜ばれます。電子レンジも忘れずに。

設備

冷蔵庫は、コールドテーブルなどの業務用のものが機能的（適正温度への復帰が速い）に優れています。ただしお客は少人数なので、コストを考慮して家庭用の縦型のものでよいでしょう。空調機も同様です。

音楽

LPレコードを並べてインテリアとしているお店もありました。店内が狭いのでデジタルプレイヤーで十分。ジャケットは飾れませんが。

和風もアリ

お茶カフェがあるように、ポップな和物のバーがあってもよいでしょう。

F 看板

常連だけでよいなら、店名だけで十分。客層を広げたければ、業態（バーなど）やメニュー、店内写真なども入れると安心されます。

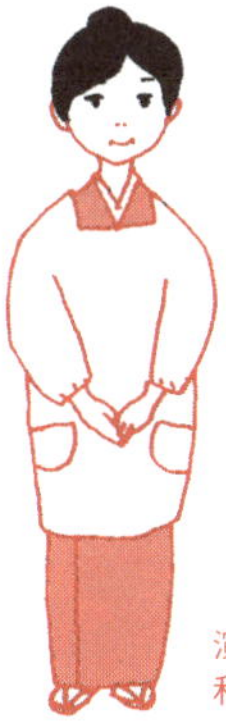

演歌しかかけないPOPな和風バー。

PR施設

企業は株主でなく社会のもの多くの人に知ってもらいましょう

企業にとって、広報は重要です。その効果は「売り上げ」ばかりではありません。消費者に会社の姿勢を知ってもらうことで、ともに社会を構成する一員として、身近で信頼できる企業だと感じてもらうことができます。その一環として、PR施設を設ける企業も増えました。自社の歴史、原料へのこだわりから、製造過程を含めた一連の業務をオープンにして見てもらいましょう。

また、施設の見せ方には「さじ加減」が大切です。苦労自慢のようにとられてしまうと、逆効果となります。

A 歴史紹介

企業の歴史を紹介するコーナーです。長い歴史があるということは、これまで信頼され続けている証拠ともいえます。胸を張って、会社の生い立ちを展示しましょう。創業当時の苦労や開発秘話などを物語にしてわかりやすくアピールしましょう。

● ショールーム

商品の実物を展示しています。消費者に実際に見てもらったり、試してもらったりすることで購買につなげてもらいます。ガス会社や自動車メーカーが多いですが、食品会社なども参加するようになりました。

● 見学ゾーン

製造の工程をオープンにすることで、現場の徹底した衛生管理をアピールしたり、商品ができあがる様子を見せたりすることができます。特に後者の場合、迫力あるエンターテイメントになります。

★グッキーワールド（架空）
主要製品「グッキー」（クッキーにグミを挟んだお菓子）をメインに展開するメーカー「グリッテ」のPR施設。

● 参加体験ゾーン

消費者に生産者側の立場となって現場を疑似体験してもらいます。グラフィックパネルなどで説明するよりも、参加、体験してもらったほうが会社や商品に対して親しみや愛着を抱いてもらいやすくなります。

B オリジナル商品

来館者自身が、自分の好みに合う果汁やフレーバーを組み合わせて、オリジナル商品をつくれます。商品に愛着をもってもらいましょう。

● お土産

施設を訪問した人に扱っている商品をプレゼント。お客がPR施設にわざわざ足を運ぶモチベーションを支えているのは、こうした「お土産」が目的であることも多いものです。

C 記念撮影

ほとんどの人が携帯電話やデジタルカメラをもっています。商品に関連した着ぐるみなどを用意して写真撮影できるようにして、来館の記念にしてもらいましょう。

カスタムの○と×

店内をすべて既成品でつくるのは難しいでしょう。
だからといって、全部特注品となると予算が増えて納期も延びます。
そこで、間をとって「カスタム(改造)」を考えてみましょう。

○のカスタム

主に居抜きの物件で役立ちます。ちょっと手を加えることで、以前のイメージを払拭することができます。改装だけに限らず、古いものに新しい素材を組み合わせて、これまでにない価値を生み出しましょう。

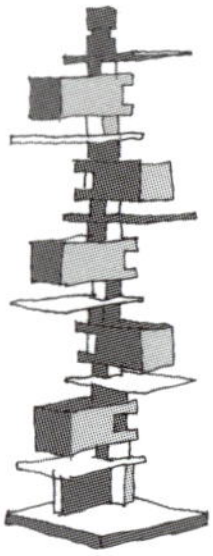

空間に合わせて既成品にメタリック着色。巨匠のデザインでも気にしない。

クラシックスタイルのイスをワニ皮風レザーに張り直してみます。

シャンデリアに塩ビのハーフミラーでシェードを取りつけてみます。

×のカスタム

ほとんどがスタッフの善意によるものです。オープン後、いろいろな状況に応じて、置かれたり張られたりします。所帯じみたものや事務用品などが、お店に顔を出してくると、デザインとしてはマイナスです。

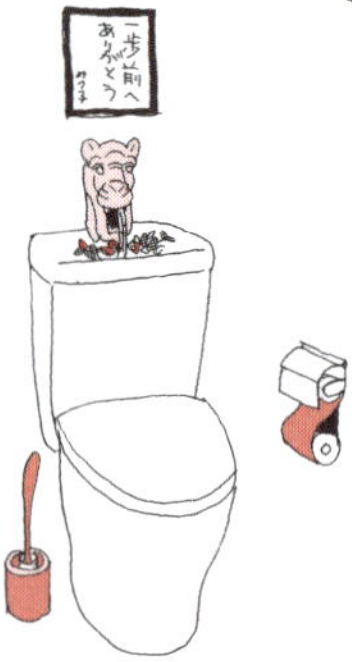

トイレ用のアクセサリーはふざけたものが多い。ピュルピュル回る水車が、手を洗うところについているのをよく目にします。脱力する場所だからといって、これはいけません。

トイレの場所を案内する紙。お客から聞かれることも大事なコミュニケーションと考えましょう。

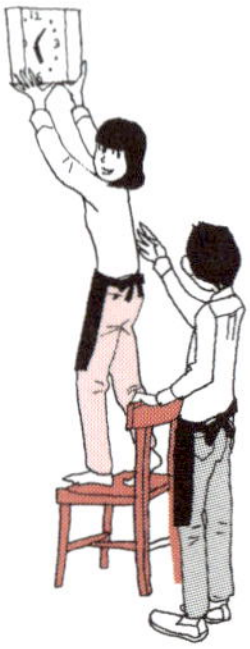

時計。便利なようですが、お店には時間を知りたい人より、知りたくない人のほうが多いものです。

2章

ずっと居たいハコには最高の寸法がある

見せ場を中心に
ストーリーを組み立てる

お店のデザインを考えるときに、最初にするのがゾーニングです。一般住宅の３ＬＤＫや２ＤＫといったお弁当のような間取りとは違い、お店のゾーニングにはさまざまな可能性があります。限られた空間内に、客席やバックヤード、レジ、キッチン、通路、トイレなどの配置を検討していくのです。

　効率を優先し、動線や客席数など機能に重点を置いたのがチェーン店です。ノウハウの蓄積に基づいた手堅い配置ですが、少々退屈です。

　一品もののお店なら、企画やデザインを優先し、見せ場重視でよいでしょう。お店のデザインの「ウリ」をメインに据えます。たとえば、トイレや厨房を入口付近に配置して、客席までの長いアプローチを設けてみます。こんな手も、お客の期待を盛り上げる演出となるでしょう。

間取りとゾーニング

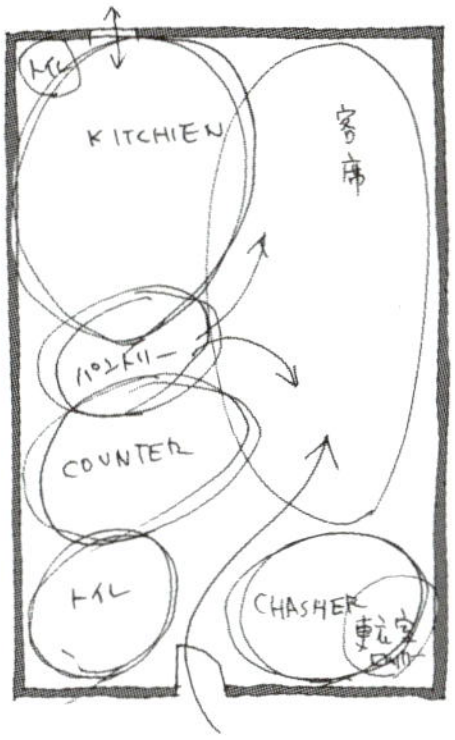

お店の平面計画は、機能、特性、効果や設備の位置を踏まえて「ゾーニング」から始めます。その可能性は大きい。

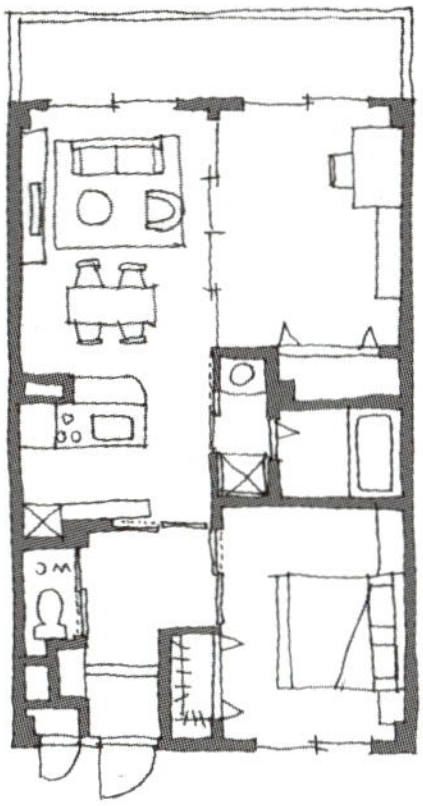

住宅の平面は、2LDKや3DKなどの定型化された「間取り」で計画されます。

ゾーニングから平面図への流れ

効率重視型

動線などの使い勝手といった効率優先で考えます。パズルが得意な人なら、誰でも同じものができるでしょう。

見せ場重視型

空間をどのように演出して盛り上げるかを検討します。

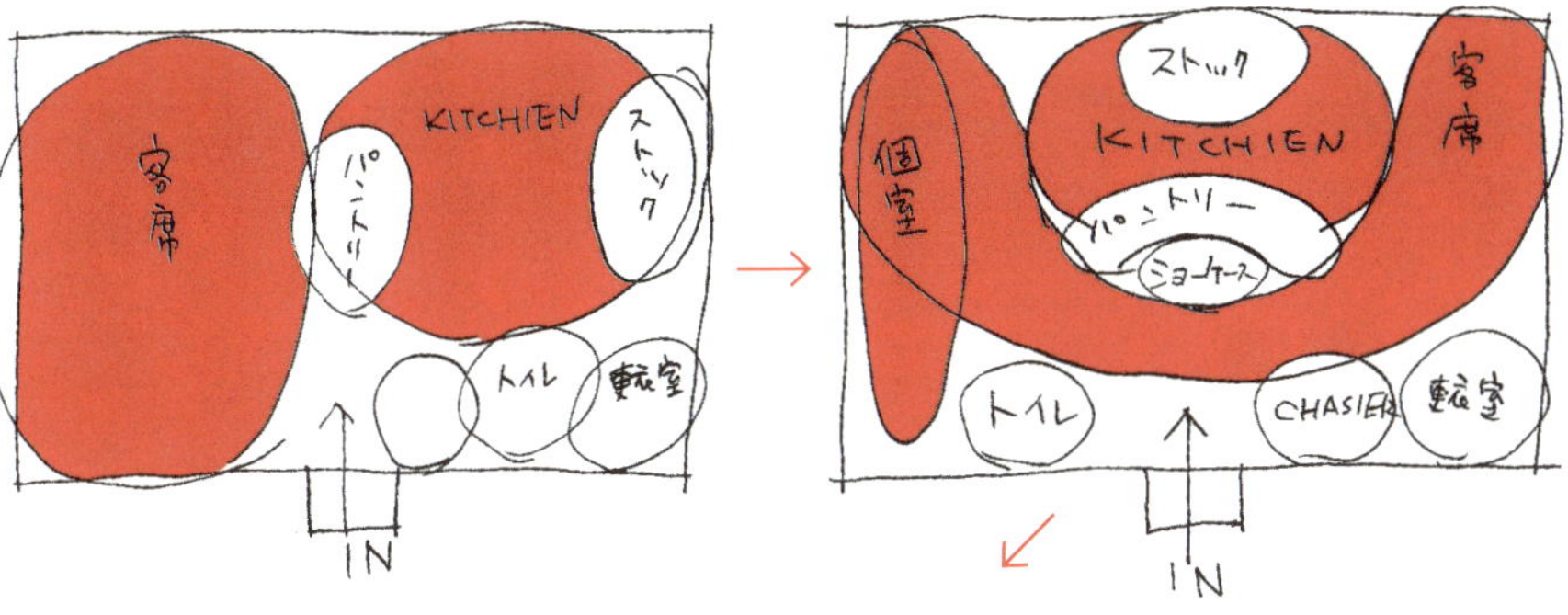

平面図

ゾーニングに寸法を落とし込んでいきます。うまく入り切らなかったり、意外と普通のプランになることもあり、再び考え直すこともあります。

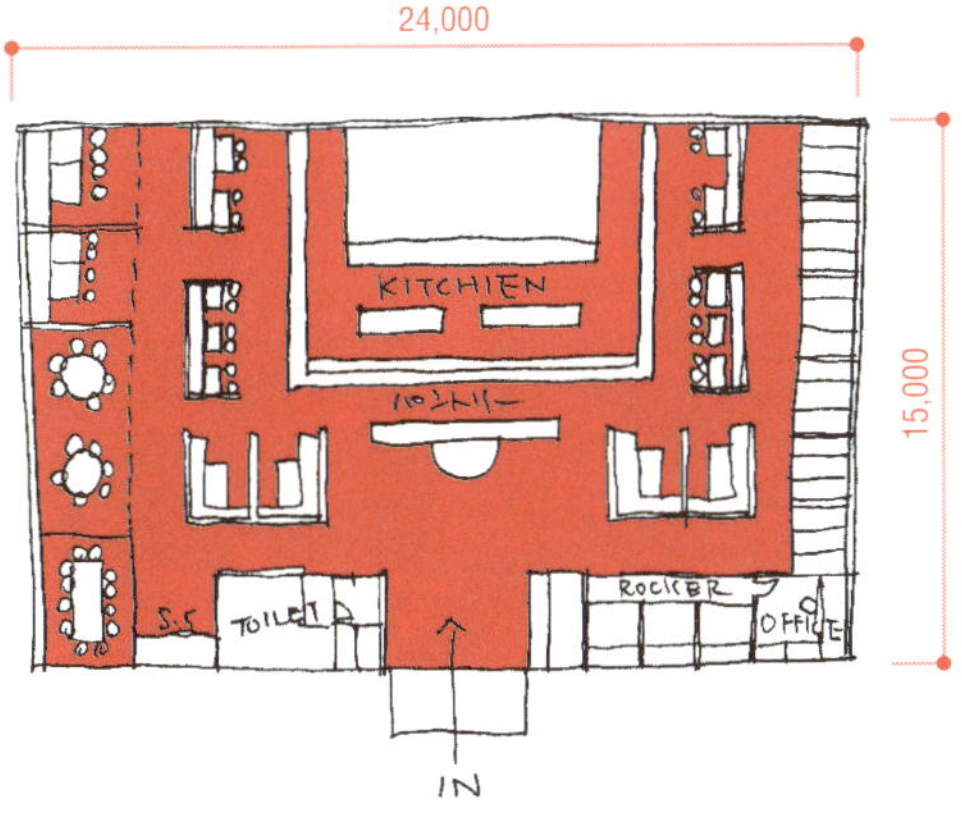

席の形には意味がある

席といっても、1人掛けだけではありません。2人掛け、ベンチシート、ハイチェアのほか、掘りごたつ式、座布団席など、さまざまな種類があります。

どのタイプの席をどのように配置するかによって、お店の機能や雰囲気は大きく変わります。席づくりでは、まずお客が何人で来店するかを想定しましょう。

ラーメン屋のように1人客が多いのであれば、カウンター席や相席できる大テーブル席を設置するとよいでしょう。居酒屋のように合コンなどグループ客が多いのであれば、テーブルを組み合わせられて、簡単な方法で仕切ることができる席にします。カップルや家族客が多いのであれば2〜6人席をバランスよく用意するといった具合です

お店は、インテリア雑誌ではないので、お客が席について完成型となります。空いていても、混んでいても絵になる席としましょう。

[MEMO] Q.テーブルよりカウンターのほうがカップル向きとされるのはなぜ？　A.人は正面で向き合うと、警戒心が働きます。横並びのカウンターのほうがときめきやすい。

席の配置例

整然とした席の配置

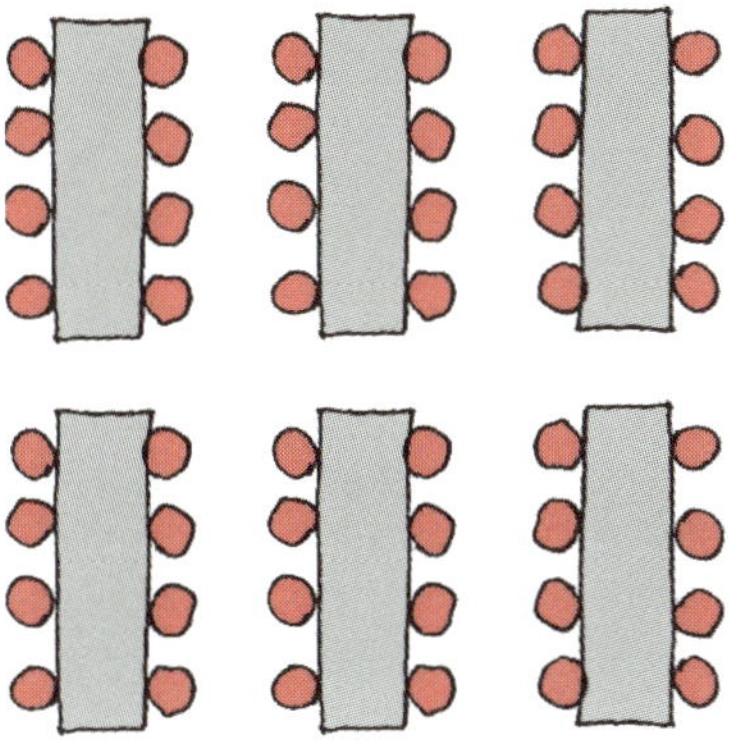

学食や刑務所のように、長テーブルばかりの席だと、効率重視の統制がとれたイメージとなります。

さまざまな席の配置

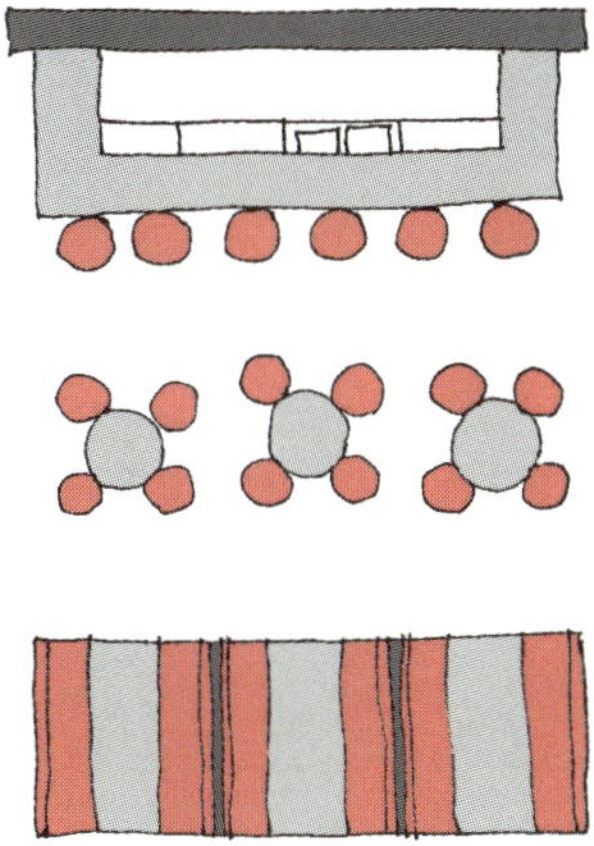

いろいろな種類の席があると、空間がにぎやかになります。

席づくりの多様化

すべてのお客に公平な居心地を提供する考え方が主流ですが、来店するたびに新鮮な居心地を提供することも「おもてなし」といえるでしょう。

堀りごたつ式

足が楽なうえに1人当たりの幅も少なくすることができます。後ろのスペースは60センチほどあれば、後ろを人が通れます。靴を脱ぐので、冬の時期は床暖房が入っていると喜ばれます。

お店の深度と席の関係

入口付近はハイチェアなどで気軽に座れ、奥に進むにつれて、ソファにどっしりと落ち着いて座れるエリアに変化していき「もてなされ感」が増します。

座敷なら、掘りごたつとブリッジでさまざまな人数の団体に対応可能

普段はバラバラにしてありますが、合コンや密会など大人数で使用する際に、可動テーブルをつなげて団体用の席にすることができます。トイレなどで席を立つ人のために、掘りごたつにフタをするブリッジを設けます。

基準なんてあるようでない
お店の数だけ「人間工学」を

ル・コルビュジエは、人体の寸法と黄金比に基づき「モデュロール」を見出して、建築に用いました。基準となる寸法を設定し、人間が自然な動きで物や空間を使用できるようにデザインするためのもの、それが人間工学です。

しかし、それはあくまでも教科書的な指標。お店は客層や単価、メニュー、立地、サービスの内容などを考慮して計画されます。お客に詰め気味に座ってもらうことで空間をワイワイと活気づけようとする店づくりもあれば、ゆったり過ごせるラグジュアリーな店内にしたいところもあるでしょう。お店は本にあるような標準の寸法だけに従う必要はありません。

デザイナーは、それぞれのお店に応じた「オリジナルな人間工学」を設定しましょう。そこに法則や基準などはありません。

[MEMO] Q.人間工学はしっかり学ぶべきでしょうか？　A.ぜひ学んでください。それと同時に、子どもや高齢者、障害者のある人などそれぞれに対して想像する能力も鍛えてください。

お店の席の寸法

カウンター席

お店のグレードや役割に応じて決めるようにしましょう。

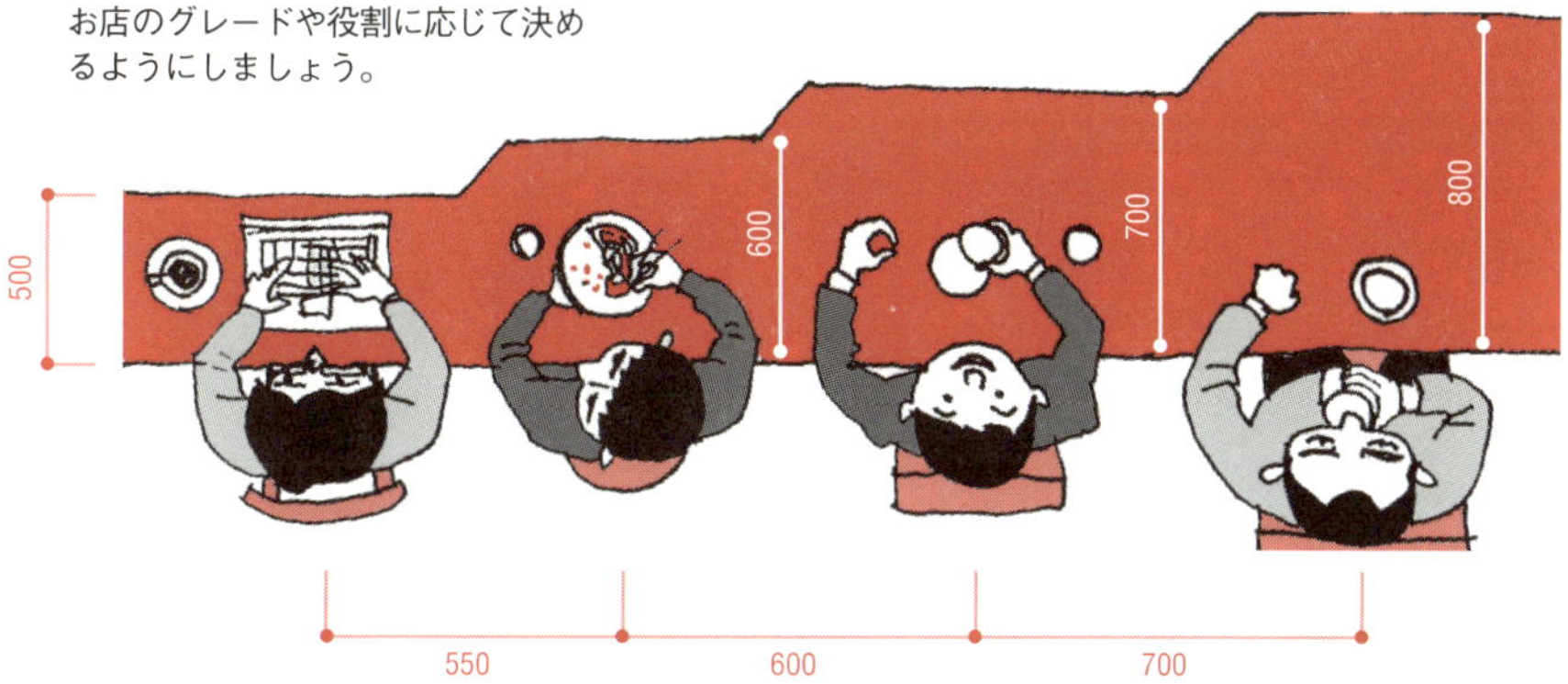

４人掛け席

ゆったりめなら奥行き90センチあれば、お皿がたくさん置けます。でも会話するには少し遠い。

立ち飲み屋席

混んできたら、体を斜めにして互いに譲り合います。人呼んで「ダークダックス」。

カウンターの高さ

お店の内容に合った断面形状でもてなす

カウンター席は、お1人様やカップルが気軽に利用できるので、人気の席となっています。

スタッフとの距離、フードやドリンクの提供の仕方、お客にどのように過ごしてもらうかによって、カウンターにはいろいろな高さがあります。

かつて流行したカフェバーでは、とても高いカウンターがかっこよいとされていました。カウンターの高さが1・2メートル、ハイチェアの座面が90センチ、足掛けは45センチもの高さがありました。これくらいになると、小柄な女性は「腰掛ける」というよりは、「登る」感じです。

ハイカウンターの場合、天板と同じくらい腰壁(立ち上がり)も目立ちます。デザインに配慮し、蹴飛ばされても、汚れが目立ちにくい素材を用いましょう。

カウンター席の断面形状

バー

スマートに見えます。カウンター内の人と目線の高さが近い。

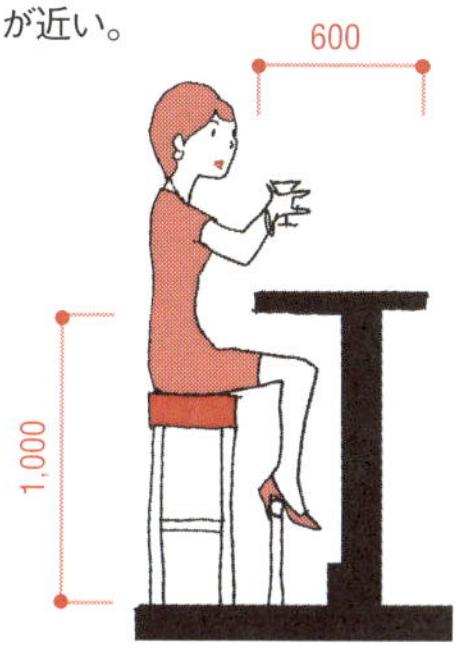

牛丼屋

短時間で食事を済ませられます。コンパクトでムダがない。

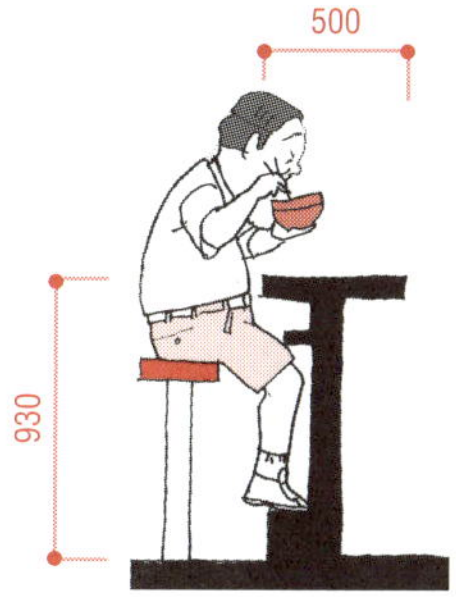

小料理屋

大皿料理を並べる台をつけます。足元はしっかり足を置けるステップにします。

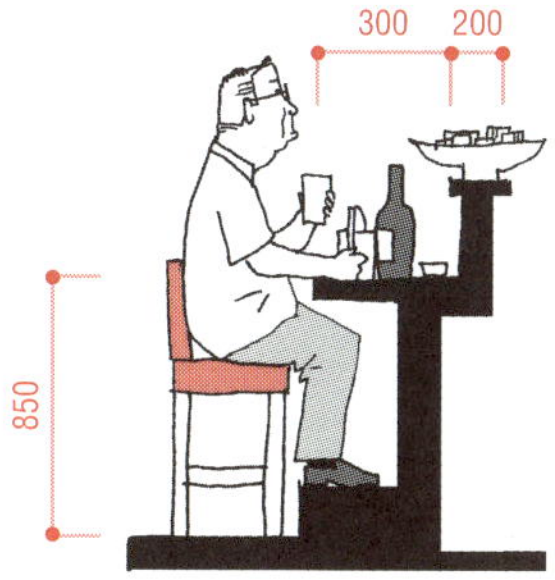

お寿司屋

実質的でないネタケースは減る傾向に。付台越しに板前さんの包丁さばきが見える高さにします。

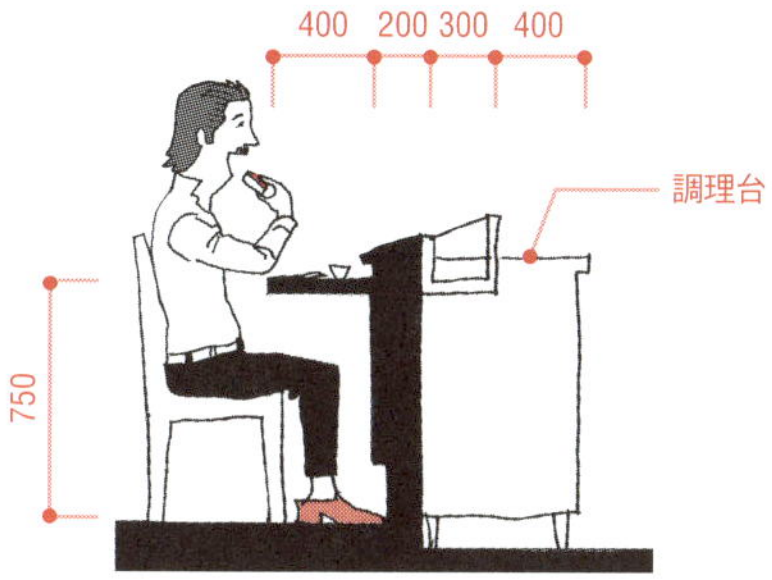

鉄板焼き屋

小上がり和風のイメージ。鉄板の位置はシェフが調理しやすい高さにします。

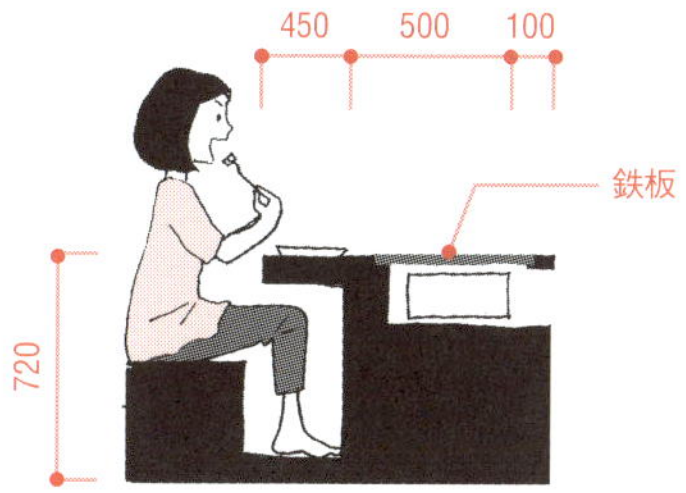

インフォメーションカウンター

受付や案内で使用されます。スタッフは普段は座っているので、カウンターより低い机が必要です。

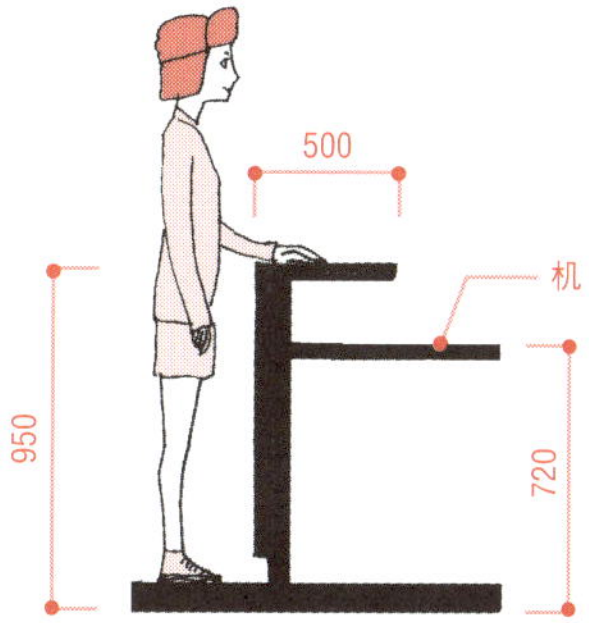

小鳥が羽根を休めるかのごとく安心感を

ハイカウンター

ハイカウンターの場合、足掛けバーが必要です。イスについているからなくてもよいと考えがちですが、足掛けがあったほうが落ち着いて過ごすことができます。ただし、ステップがついていれば、なくてもよいでしょう。

　立ち飲みの場合、オープン後に方針を変更して、イスを置く例が見受けられます。そこで、最低限ヒザが入れられる奥行きでつくっておくとよいでしょう。

　鞄や上着の置き場も必要です。これには、カウンターの腰に棚をつけるという解決策があります。ただし、ヒザに当たりやすいので、奥行きや高さに配慮してください。よかれと思ってつくったものが、不愉快という残念な結果となります。カウンターの腰壁に荷物用のフックを取りつけてもよいでしょう。イスの下に置くバスケットもオススメです。

こんなカウンターは嫌だ

足掛けがない

足の置き場がないと、常に太ももに負担がかかり、足がブラブラして落ち着けません。

足掛けの位置が合わない

足掛けを設置しても、つま先しか掛からないと意味がありません。土踏まずあたりが安定します。

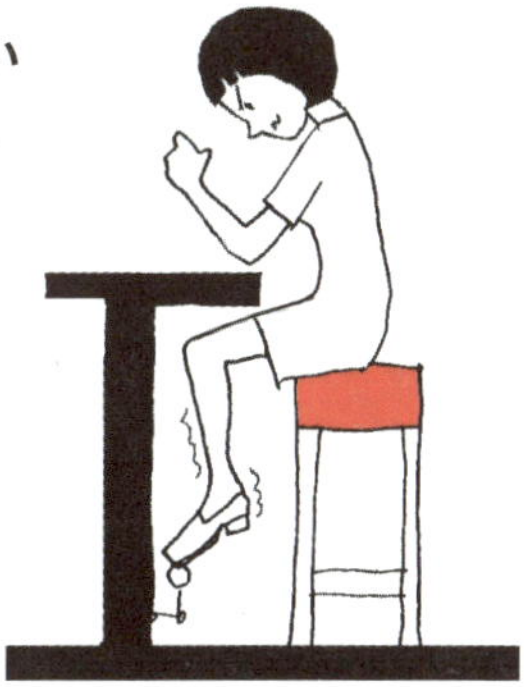

意外と小さな棚しか付かない

荷物を置きたいというお客のニーズはわかりますが、棚を取りつけるなら、高さと奥行に注意。スネやヒザがぶつからないように。

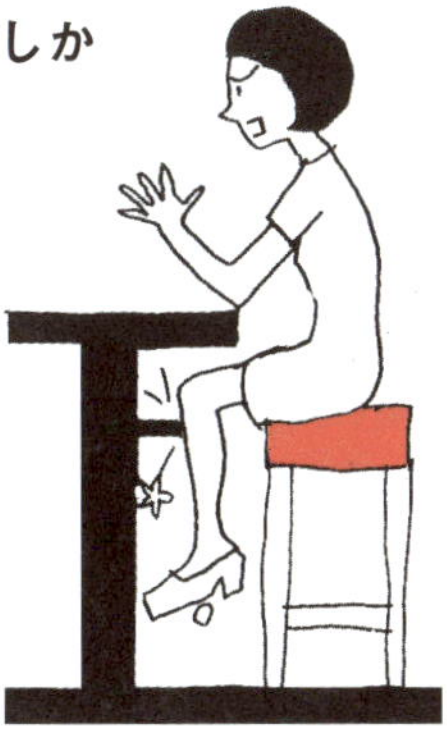

ヒジ掛けが高い

ヒジ掛けがカウンターに当たると、イスを引くことができません。

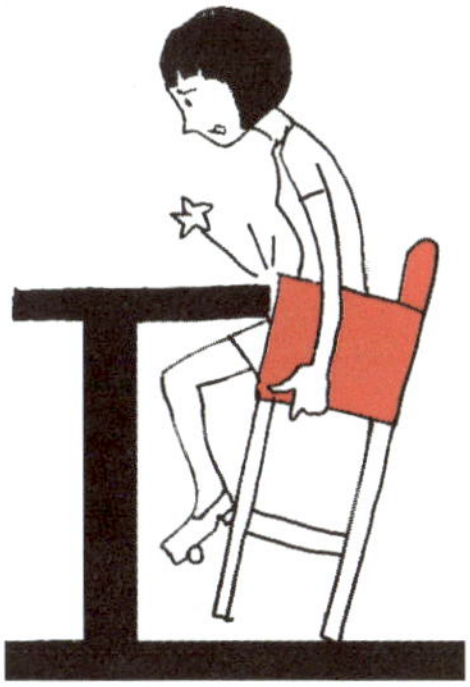

大皿料理が近い

料理を置く台は位置や高さに注意しましょう。お客に近すぎると衛生的によくありません。

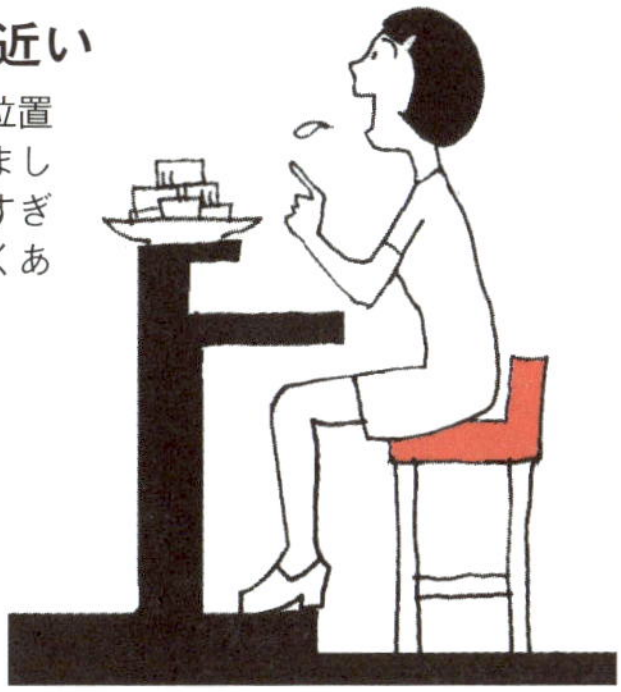

カウンター越しのバランスが変

上から目線では、スタッフもお客も落ち着きません。

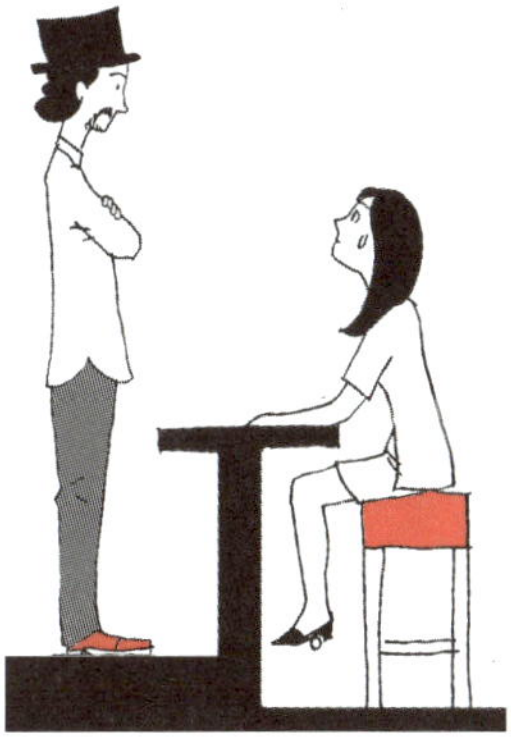

カウンターの天板

天板の素材はお店の個性そのもの

カウンターはお店の顔であり、アクセサリーともいえる存在です。インテリアデザイナーは「カウンターを上手につくれたら一人前」といわれているほど、そこにはデザインや居心地、設備など、たくさんの要素が凝縮されています。

　カウンターにおいて、重要なもののひとつが天板です。ピカピカか、冷たいか、硬いか。天板の素材は、感触や温度によって、お店の性格を伝えるインターフェイスです。この選択を間違えると、ミニスカートを履いたヤクザや、働き者のニートのようなちぐはぐな雰囲気になってしまいます。

　同じ材料でも、表面の仕上げ方で、触れた感じがガラリと変わります。仕上げサンプルをつくり、丹念に素材に触れ、頬ずりするくらいの思いで確認しましょう。

素材とイメージ

天然素材系

無垢材にウレタンクリア塗装で、高級感を演出することができます。木の表面の模様を残すと天然感も出てきます。ランバーコア集成材の上にキレイな突板を用いると、予算を節約できます。

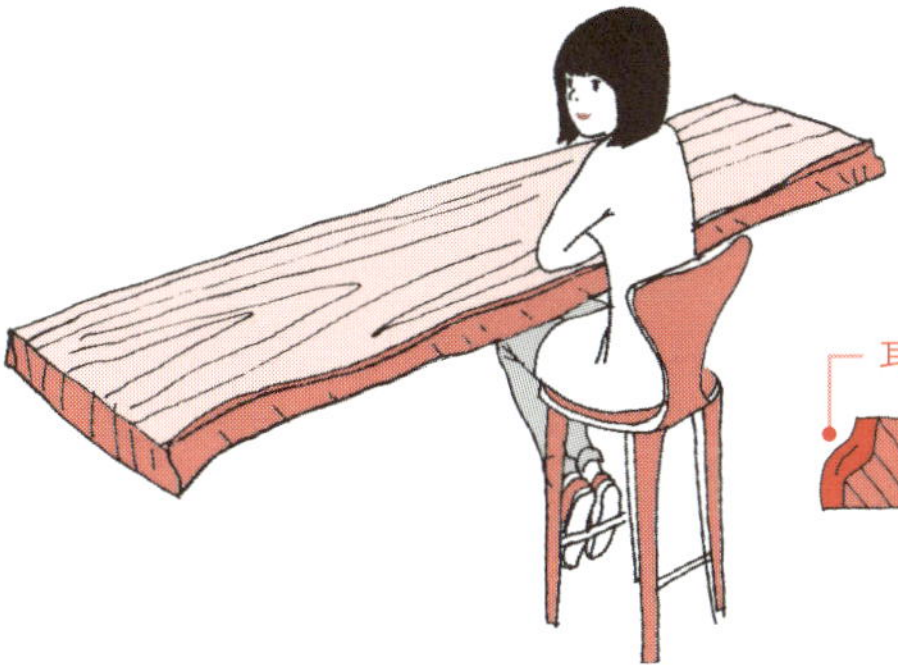

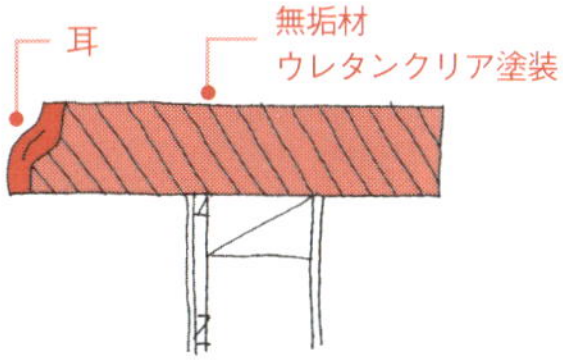

ガラス、光りモノ系

光を透過させる天板もあります。1990年代にフィリップ・スタルクがホワイトオニックスを用いて驚かせました。これまでは蛍光灯が主流でしたが、光源が小さく熱をもたないLEDが新しい光天板の可能性を広げています。

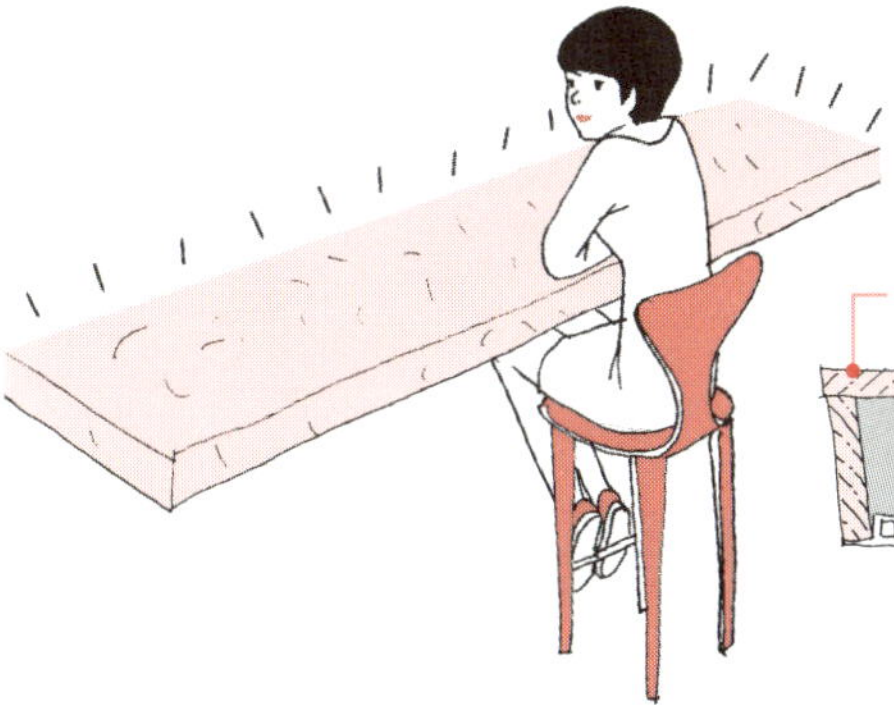

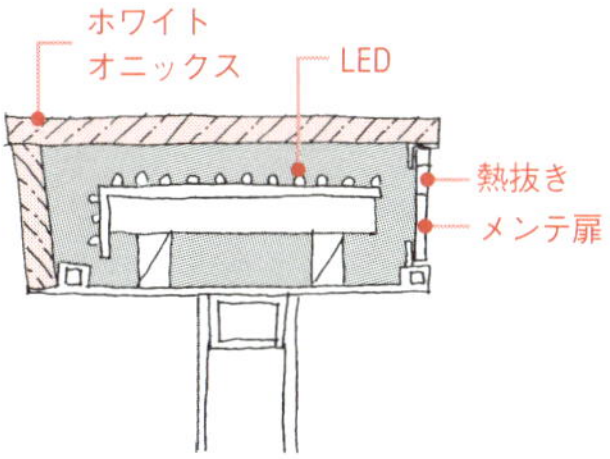

いろいろな縁

小口を隠したり保護したりするパーツを鼻といいます。天板の素材を切りっ放しにして断面をそのまま見せるとストイックでモダンなデザインに。そこに鼻をつけるとヒジがしっくり納まったり、イスに座る際に掴まったりすることができます。

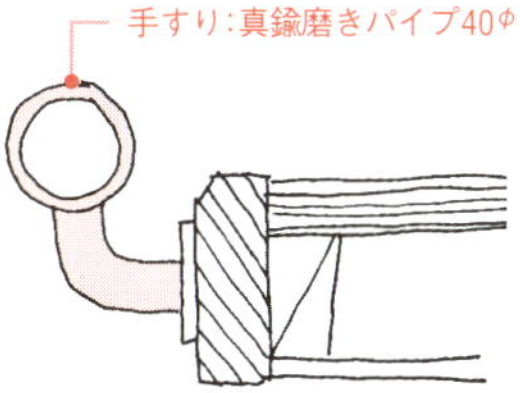

英国式パブなどで見かけます。

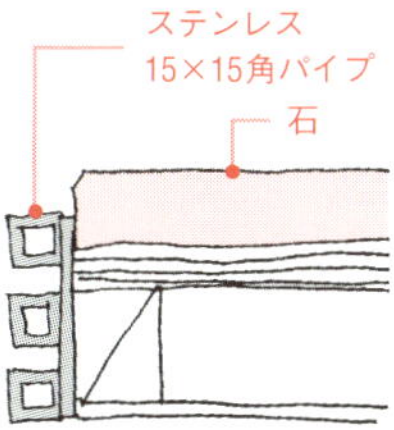

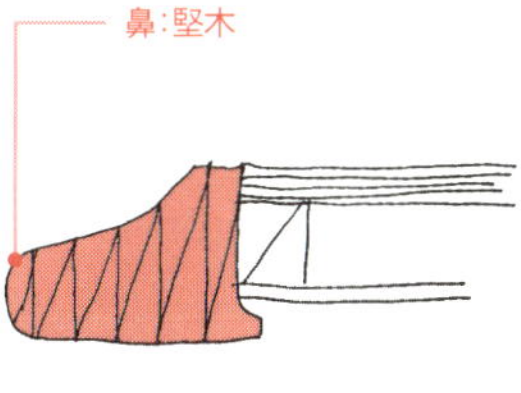

ヒジの休憩場所になります。

守られ感を生む
ユルやかな壁

パーティション

大昔の人類が大自然に身をさらして過ごしていたからでしょうか。敵からの攻撃を受ける心配が少ない「隅っこ」という場所にはいまでも不思議と安心感があります。

人は無防備な状況は好きではありません。お店では、囲われた感じのするコーナー席（角席）が人気の場所です。つまり、コーナー席がたくさんあるほど、居心地のよいお店になります。

とはいえ、たいていのお店のフロアは四角形なので、コーナー席は4つしかできません。そこで意図的にコーナー席を設けるようにしましょう。

高すぎない壁＝パーティションで店内の空間を自由に刻めば、そこに新たなコーナーが出現します。たとえ隣の席が近くてもパーティションがあるだけで人の気配が薄まり、居心地のよい場所となります。

さまざまなパーティション

理想のパーティション

空間を狭く感じさせず、自分のエリアを囲い込み、遮蔽しすぎず、透け感があります。パーティなどでは、簡単に取り外して、片付けることができながら、かっこよい。そんなパーティションが理想ですが、まだ発明されていません。

大きなメニュー

大きめのテーブルやカウンターなどで、大きなメニューを立てて置くと、隣りとの仕切りになります。

イスの高い背

仕切り役も果たします。座り心地が気になったり、高い背がじゃまに感じることもあります。

プチ個室でお店をちょっぴり独占

お店の個室を貸し切りできれば、リッチな気分を味わえ、周囲に気を使う必要もありません。円卓を据えた中華料理店や、目の前で板前さんが自分たちのためだけに握ってくれる寿司屋などの個室は、まさに特別の空間。

ただし、実際に利用するとなれば、ある程度の人数と費用が必要で、ぜいたくに個室を独占する機会はそうそうないでしょう。

そこで考案されたのが「プチ個室」。これは2～4名ほどのテーブル席で、間口は1・7メートルほど。和風ダイニングや居酒屋の多くで見かけるしっぽり空間です。

ただし、かなり狭いので、豊かな時間を過ごすのはなかなか難しいのも事実です。インテリアとしてもマイクロ個室にはまだまだ工夫が必要です。成功例はまだ見当たりませんが、チャレンジしてみる価値はあるでしょう。

個室の仕切り方いろいろ

すだれやロールカーテン

座っている人の目線まで下げれば十分に仕切りの役割を果たします。

縦格子の引き戸

戸袋がないと1人ずつ出入りすることになります。牢屋っぽくならないよう注意。

カーテン

何だかいやらしくて、安っぽい印象になりがち。素材に注意しましょう。

ストリングカーテン

流行っていますが、出入りするときにヒモが絡まるのが難点。

プチ個室でかつ丼!?

プチ個室はパブリックな場に無理やり設けたプライベート空間です。その閉塞感は「警察の取調室」にも匹敵し、冷めたカツ丼が出てきそうな感じさえします。せっかくおめかしして街に出かけてきたのですから、小さな個室に引きこもらず、とっておきの自分を披露してほしいものです。

オープンキッチンは お店にグルーヴ感を生む

オープンキッチンが流行っています。これは、客席から見えるようにつくられている厨房のことです。シェフが料理をする臨場感がウリで、作り手とお客が一体化した空間には、よい緊張感が生まれます。

食の安全が問われている昨今では、つくる過程や作り手の「顔」が見えることは、安心感にもつながります。

丁寧な仕事ぶり、味を厳しくチェックする姿など、調理への姿勢や身のこなしは清々しくもあります。

ただし、常にお客の視線を意識することになり、スタッフは疲れます。少しでも身を隠すことのできる「死角」を用意できるとよいでしょう。お客としては、ずっと見ているのではなく、「見ようと思えば見られる」環境を楽しんでいるのです。

[MEMO] Q.オープンキッチンで注意すべきことは？　A.オープンキッチンはライブハウスのようなもの。優れた曲（料理）はもとより、パフォーマーが重要となります。

オープンゆえに死守すること

こまめに掃除する

食品を扱っているので、常にキレイな環境にしておくのは当たり前。

ゴミを隠す

ゴミ箱はお客の目につかないところへ。その存在に気づくだけで、不潔な感じがします。

3秒ルールは論外

そもそもダメですが、食べ物を床に落としても3秒以内なら食べてもOKなど、ネットでつぶやかれたらお店は終わりです。

「死角」をつくる

スタッフも人間。常にお客に見られ続けるのは精神的に厳しいものです。少しの時間でも身を隠せる空間が必要です。

オープンキッチンはパノプティコン?

パノプティコンとは刑務所スタイルのこと。いくつもの獄房が円形に配置されており、中央に看守室があります。看守室の電気は消えているので外からは見えない。監視されていないときでも、囚人からすると常に見られ続けている気分になります。お客は監視しているわけではありませんが、「いつでも見れる」という意味で、ユルやかな「看守」といえるでしょう。

お店はワインを熟成させる場所にあらず

ワイヤーで吊り上げて取りに行くという演出も派手で楽しい。

ワインを提供するなら、種類はある程度そろえておきたい。赤、白、ロゼ、スパークリング、さらに産地、年代、ぶどうの種類と、いろいろあります。

それぞれおいしいとされる飲みごろの温度にしておくには、別々のワインセラー（ワインの保存庫）が必要で、設置場所も予算も、まさにフルボディです。もう少しざっくり考えて、日本人はキンキンの冷たさが好きなので、白ワインやスパークリングワインなら5℃程度、赤ワインなら14℃程度で保管するようにしましょう。

カジュアルな「がぶ飲み系ワイン食堂」では、棚に直立で並べてかまいません。コルクが乾くって？　仕入れたワインはどんどん飲んでしまえばよいのです。お店はワインを熟成させたり、コレクションしたりする場所ではありません。

[MEMO] Q.お店でどのようなワインを飲んだらよいでしょうか？　A.安いワインやハウスワインでお店のセンスを試してみるのもよいでしょう。

ワインボトルの覚え方

サイズをチェック

ボルドー、ブルゴーニュ、シャンパンと、それぞれボトルのサイズが異なります。銘柄によって多少は寸法も変わりますが、ワイン棚を設置する際の参考に。

ボトルの並べ方

横列型

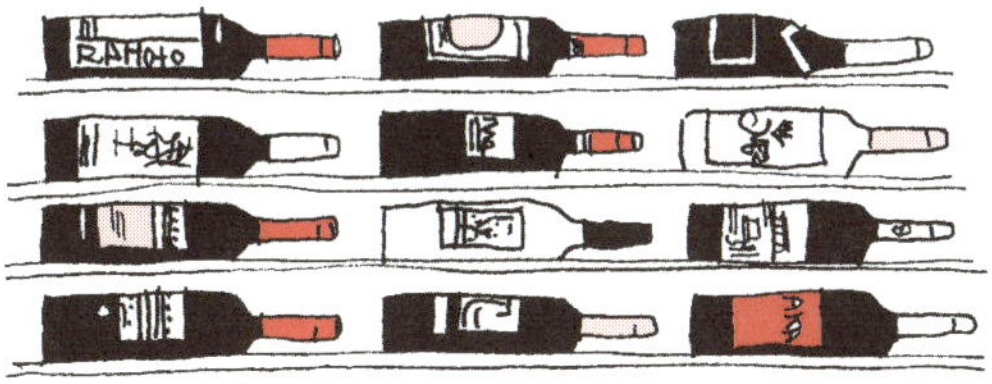

コルクを十分に湿らせることができますが、たくさんのボトルを置くのは難しい。パーティションとしても使えます。

斜め型

酒屋でよく見かける並べ方です。コルクを湿らせることもでき、ラベルも見やすい。

立て型

ラベルがよく見え、華やかです。それぞれ金額を書き入れておき、お客に選んでもらうというのも楽しい。

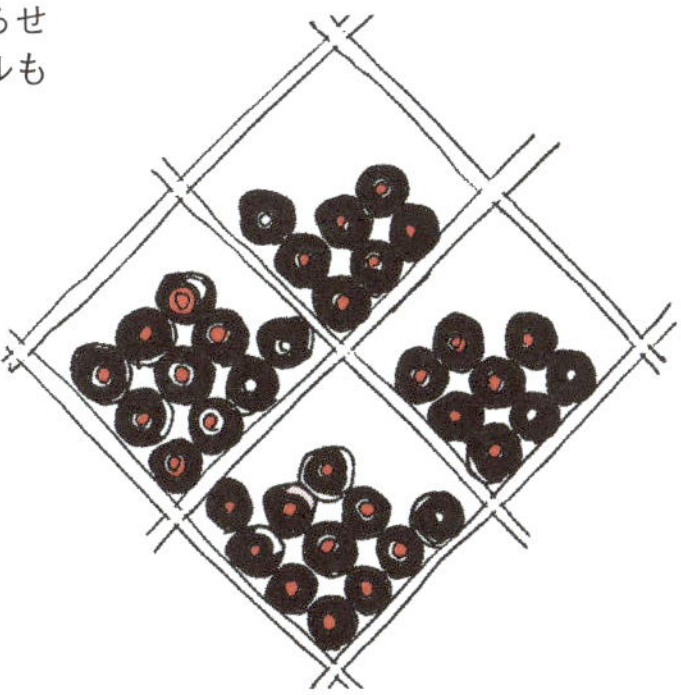

横積み型

コストが安く、ボトルもたくさん入れられます。奥行きが必要なのと、下のほうにあるボトルを取り出しにくいのがデメリット。

ランチができると思える空間に

トイレは、客席40席に対し男女1個ずつといわれていますが、これはひとつの目安です。実際には、お店の広さや業種、集客数、男女比などから総合的に導き出します。また、トイレの順番待ちがお店の真ん中、なんてことにならないよう配慮する必要があります。

トイレで重要なのは清潔感です。かっこよいけど不潔なトイレと、粗末だけど清潔なトイレがあったとしたら、誰もが後者を選ぶでしょう。

清潔に保つことは、スタッフの努力にかかっていると思いがちですが、お客がキレイに使いたくなるデザインにすることが「清潔」の第一歩です。お店のスタッフにも愛されて、清潔にしたくなるデザインを心がけましょう。トイレの中でランチをしてもよいと思えるくらい素敵な空間を設計してください。

汚さずに使ってもらうには

明るめに

トイレの照明が暗いと汚れが目立たず、よいことのように思いますが、逆効果です。お客も気づかずに汚してしまうことがあります。明るくするほうがキレイに使っていただけます。

水浸し対策

自動水栓にすれば、濡れた手があちこち彷徨わずに済み、ビシャビシャ防止に有効です。

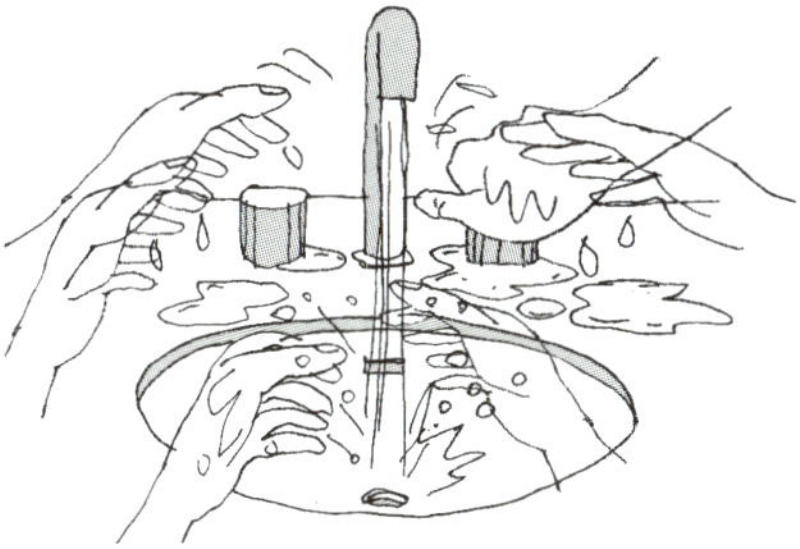

アメニティを完備

主に女性向けに、ナプキン、 ティッシュ、綿棒、脂とり紙、使い捨てパフなどを準備。ただし、常に整理しておかないと逆効果です。

籐のカゴにスッキリ並べたい。

内側からも外側からも考えよう

天井から床まで透明のガラス張りのお店。明るく開放的な雰囲気に浸って、外の景色を眺めながら、飲食を楽しむことができるでしょう。また、外から店内が見えることで、入りやすい安心感も与えられます。

だからといって、ガラス張りにするのは短絡的。外の風景、街並みは見るに値するものでしょうか。周辺の環境も確認しましょう。

中から外が見えるということは、外から内も見えるということです。1人もお客がいないときはどう見えるのかなど、いろいろな場所からの視点を想定して、ガラス張りにするかを決めてください。

オープンエアのテラス席も要検討です。日本は約3日に一度は雨であり、真冬や真夏の対策も考えなければなりません。サービスを行き届かせることができるか、食い逃げは出ないかなど、熟考しましょう。

視線はトリミングせよ

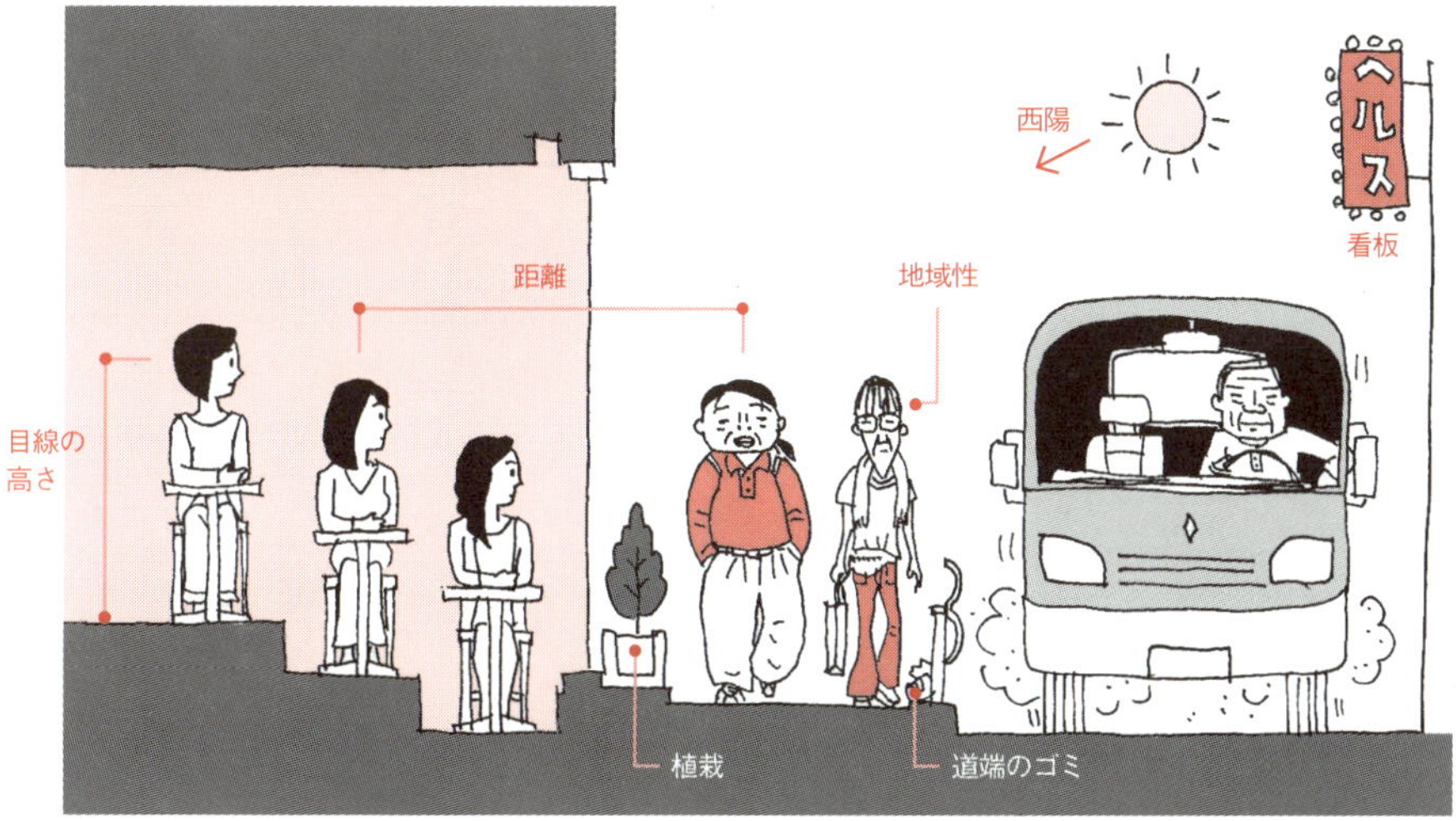

店内の人にとっては、ガラス面の先もインテリアです。ただし、交通量が激しいなど、外の景色を見せたくないときには、座席を低くする、植栽を植えるなど、景色を切り取ってください。

テラス席の役立ちパラソル

気候のよい時期に屋外で飲食できれば気持ちよい。日除けや雨対策に、パラソルを設けましょう。

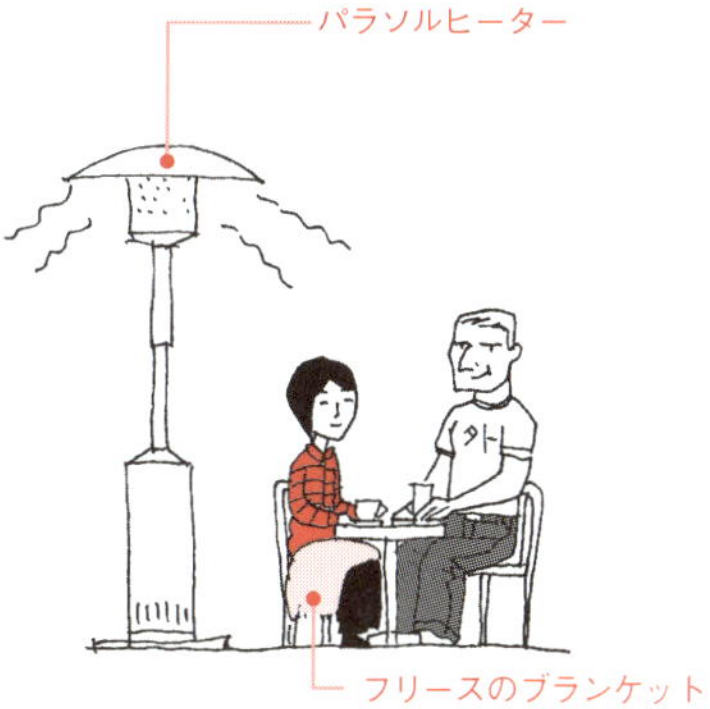

寒い日でも、パラソルヒーターがあれば、楽しく過すことも可能です。収納場所も確保しましょう。

「はじめまして」と差し出す名刺のごとく

建物の正面デザイン、つまり店構えのことをファサードといいます。お客との最初のコミュニケーション、第一印象を決める重要な部分です。「このお店はこういう感じ」ということを表明しています。

人の顔にたとえるとわかりやすい。立派な顔、貧相な顔、笑える顔など。お店に入るということは、その顔の誰かと付き合うことと同じ。第一印象と違ってホッとしたり、ガッカリしたり。

このようにファサードを考えるときは、中身とのバランスに配慮しましょう。立派なファサードなのに、味やサービスが安っぽければ、その落差にお客はがっかりすることでしょう。粗末なファサードの割に、そこそこの味とサービスを提供されたら、「意外といいじゃん」となるかもしれません。

[MEMO] Q.かっこよいお店にすればお客は呼べますか？　A.もちろん呼べます。でも、見た目で来店してくれるのは2～3回程度です。

お店の顔いろいろ

頑固そう

珍しいシングルモルトもあり、お客もこだわり派が常連。

落ち着いていそう

気のよい女将がいて、京風の惣菜がおいしそう。

爽やかそう

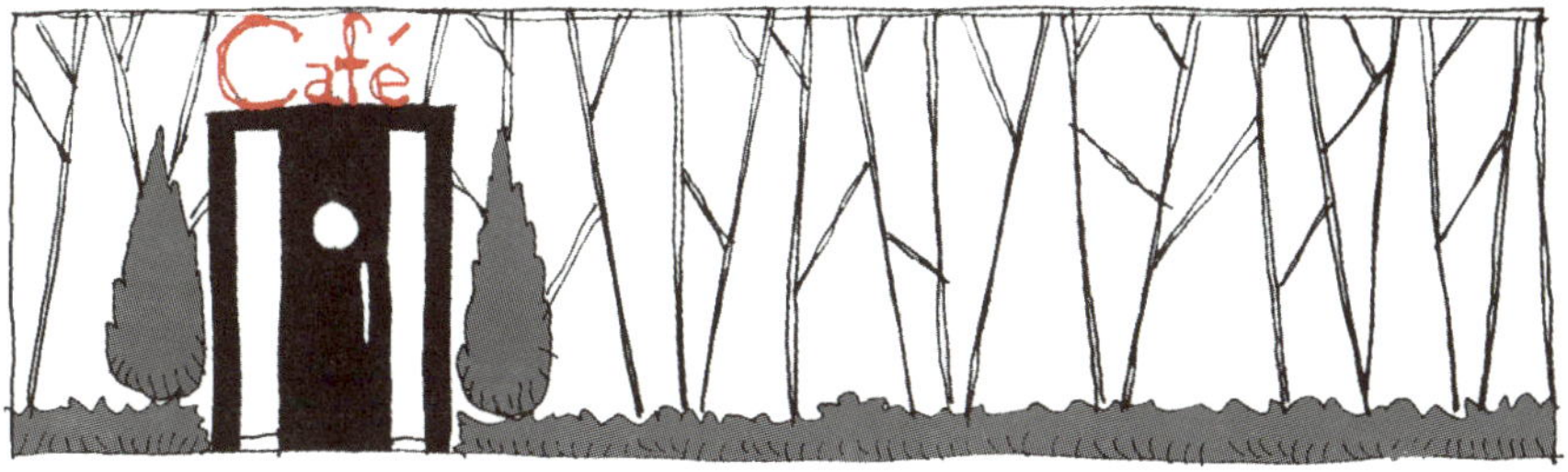

明るくてライトな印象。カルフォルニア系のパスタや細いグラスのビール、カラフルなサラダが出てきそう。

楽しそう

ワクワクな感じが全面に出ていて、退屈しなさそう。しかし、実際の店内の様子はわかるようでわからない。

気付かなそう

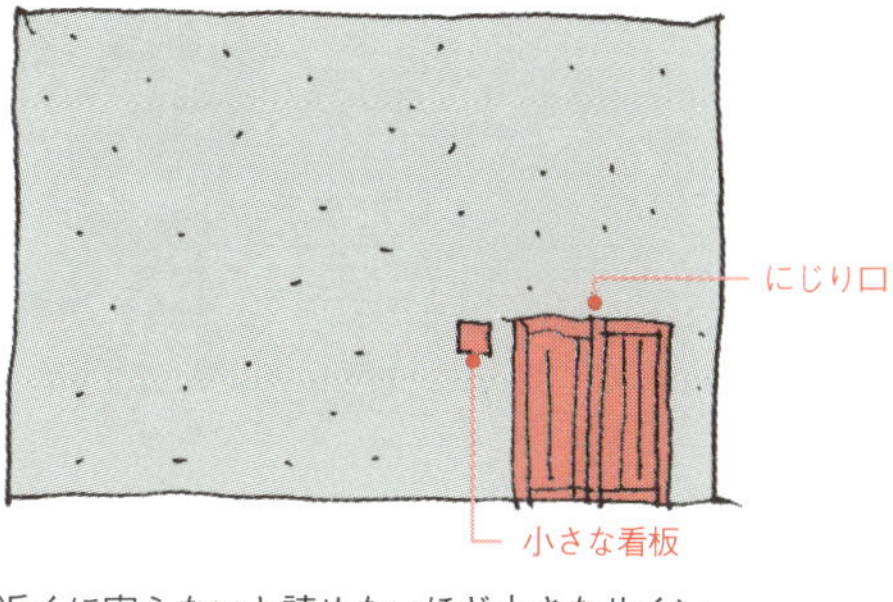

近くに寄らないと読めないほど小さなサイン。出入口はにじり口となっていて、酔っぱらっていなくても頭をぶつけそう。

看板はお店の声。ボリュームを調節して

お店は、看板を表に出さないと気づいてもらえません。看板の店名表記の大きさは、お店の声の大きさのようなものです。あまりに大きいとうるさく感じられ、反対に小さいとスルーされてしまいます。

店名のサイズは、お店の個性に合わせましょう。自ら考えるお店の身の丈から8%くらい大きめにすると、やる気も伝わります。素材やデザインレイアウト、照明の使い方なども吟味して、実際のお店とちぐはぐにならないようにしてください。

遠くから認知できるほうがホスピタリティの高い看板かもしれませんが、おシャレなバーであれば、小さい看板のほうが効果的です。お店の前に来ないと気づかないくらいのサイズ(15センチ角程度)のプレートにしておくと、知る人ぞ知るプライベート感を醸し出すことができます。

[MEMO]Q.よく汚いラーメン屋はおいしいと聞きますが、本当でしょうか？　A.たまたまです。

お店の看板いろいろ

埋め尽くす看板

強くアピールしているようですが、埋没しているようにも見えます。もはやビル自体が看板と化しています。

店構えが看板

ファストフード店やコンビニなど。店内が明るいので、漏れる光自体が看板になっているともいえます。

ひっそり型の看板

気づかれないおそれがありますが、隠れ家的な存在であれば、お店を探す体験自体が演出となります。

ビルの袖看板

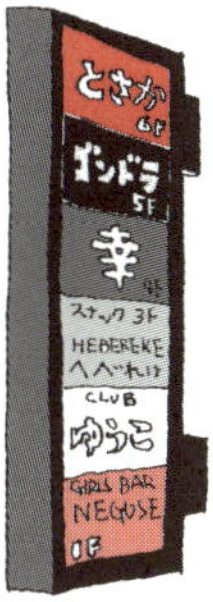

ビル側から色の指定まであることも。上のほうなので、探す気のある人でなければ気づかないでしょう。

置き看板

金物なので、コストはかかります。ビルによっては規制されていることがあるので、事前に確認すること。酔っぱらいに蹴飛ばされることも。

A看板

ネットで1万円くらいから入手可能。黒板のものがあり、その日のオススメのメニューなどを書くことができます。

天井の高さはどう考えたらよいか？

お店の天井が高いと、足を踏み入れた瞬間に店内が広々とした感じがして、「せいせい」とした気持ちになるでしょう。

他方、お店の天井が低いと圧迫感はありますが、「しっぽり」落ち着くこともあるのではないでしょうか。

2フロア分もあるような高い天井は都市の経済効率からすると、かなりぜいたくで貴重です。

しかし、ありがたがって見上げても意味がない。大切なのは、床の広さと天井の高さのバランスです。

天井が高くて狭い部屋。広い部屋の低い天井。緩和するばかりでなく、あえて強調してみることもできます。どのように演出するかが、デザイナーに問われています。

天井が高いお店

広々とした開放的な空間は、優雅な気持ちで過ごすことができるでしょう。ラスベガスのレストランでは当たり前の高さです。

天井が低いお店

胎内回帰か子どもの頃に押し入れで遊んだことへのノスタルジーか、あるいは原始時代の洞穴生活の遠い記憶か、圧迫感があるのに妙に落ち着きます。

3章

ハコをつくるモノが人の心を動かす

どんなストレスにも負けない強靭さ求む

過酷な状況に耐えています。

床は目に入る面積も大きく、空間の印象を左右します。どんな仕上げにするか、お店のコンセプトや予算など、さまざまな面から検討します。お店の場合は特に、メンテナンス性に注目しましょう。

まず、耐久性を検討します。飲食店なら料理や飲み物をこぼしたり、天気によっては泥や砂が持ち込まれ、雨で濡れたりもします。全体重をかけてすり足で歩くお客もいるでしょう。床には、毎日、過酷な状況に耐えてもらわなければなりません。

メンテナンス性といえば、清掃も重要なポイントです。いつでも気持ちのよい床にしておくには、人手もそれなりにかかるので、清掃しやすいほうがよいに決まっています。

そうはいっても、デザイン優先で使いたい魅力的な床材もあります。機能や経済優先といった現実との戦いでもあるのです。

[MEMO] Q.どの床が最強？　A.硬いという意味では御影石ですが、コスト、メンテ、仕上げ厚、手間、イメージなどを総合すると、硬質塩ビタイルが優勝です。高級感では劣りますが。

お店の床いろいろ

フローリング

清掃が比較的手軽で、多少のクッション性もあり、張り方も工夫できます。温かみのある風合いは、誰からも好かれます。

カーペット

フカフカした靴触りで、滑りにくく、吸音性もあります。難点はシミや汚れがつきやすいこと。洗浄や張り替えといった対策も必要になります。

石材

単価の高いお店でよく用いられます。汚れや傷がつきにくく清潔。コツコツと靴音が響きます。本磨きの黒御影なら鏡面効果もあって、ハイグレードな印象です。

塩ビタイル(硬質)

水拭きができ、丈夫です。低価格で、仕上げ厚が薄く、使い勝手もよし。木や石などの自然の柄の再現性も高い。「ニセモノ」であることが唯一の弱点でしょう。

畳

柔らかいのに、汚れたら拭くことができるスグレモノ。靴を脱ぐことが前提で、地味な割に個性が強く、和風以外では扱いにくい。

モルタル(金ゴテ)

DIY系のお店で見受けられます、安価で粗野な見た目の割に、シンプルかつモダンな印象もあります。粉っぽいのでクリア塗装を施します。

石は地球からの贈り物
上手に使いこなすのは
人類の使命です

地球の体積の80%は石。

輸入により多様な石種が出回り、価格もリーズナブルになりました。ただし、カタログに載っている「ラベンダーブルー」や「タイガースキンホワイト」などのいかした名前の石には気をつけてください。実際は名前や写真で見るほどステキではない場合もあります。必ずサンプルで確認しましょう。

実は、石は硬いとは限りません。中でも大理石は意外と柔らかくて欠けやすく、水も染み込みます。酸にも弱いので、トイレの床にも適しません。石で仕上げたいのなら御影石にしておきましょう。透明感のあるオニキスはテーブルの天板にすると、いつの間にかマットな仕上げになってしまいます。

石は長い年月をかけて地球がつくった素材、その美しい斑は人間がつくろうと思ってもつくれません。デザイナーはちゃんと活かして空間に使用していきましょう。

［MEMO］Q.石の選び方のコツは？　A.天然のものですから、カタログと実物は異なります。サンプルを見て決めるようにしてください。

いろいろな石

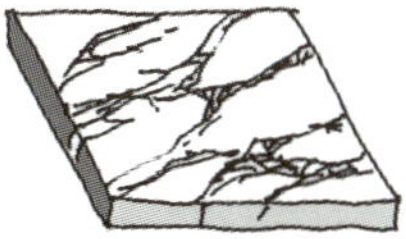

大理石

石灰岩が熱と圧力の作用で結晶化した石。多彩で独特の模様に高級感があり、昔から内外装材として人気。

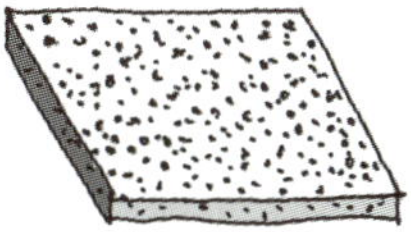

御影石

硬くて酸にも強く、お墓やトイレの床によく用いられます。表面加工でさまざまな表情をつくることができます。

スレート

水にも強いので屋根材にも用いられていました。滑りにくく、外部の床にも重宝。繊維で強化したセメント板と区別するために、「天然スレート」とも呼ばれます。

砂岩

砂の粒や粘土などが固まった石。落雁のような質感。インドから輸入されることが多く、カレー屋でよく使われています。また、吸水性もあり、北側の外壁やお風呂に張ると、カビがつくことがあります。

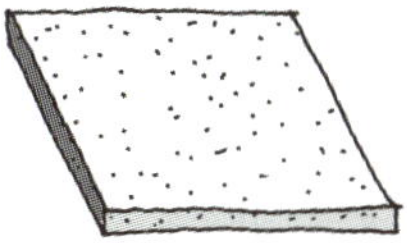

ライムストーン

海底で貝殻や動物の遺骸などが堆積して固まった石。柔らかくて加工しやすい。マットで静かな印象。品がよく、海外ブランドのショップでよく見かけました。

大谷石

栃木県の大谷町一帯で採掘される柔らかい石。黒いまだらな部分は「みそ」と呼ばれます。F・L・ライトは帝国ホテルで使い「これでもか」というくらい彫刻を施しました。

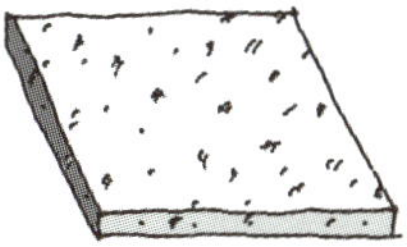

十和田石

多孔質で空気を含みやすく、保温機能もあり、旅館の大浴場などに使われます。地味で、かなり和風に見えます。

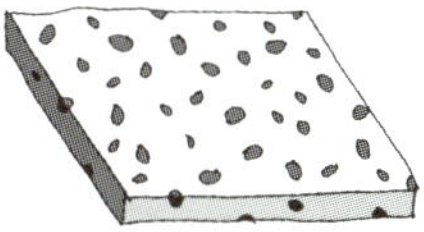

人造大理石

セメントや樹脂に天然石を混ぜ、型に入れて固め磨いたもの。ガラス片や金属が混ぜられたこともあります。天然石に比べてリーズナブルです。

石の表面仕上げ

石の魅力を引き出す表面仕上げもいろいろあります。地球が年月をかけて生み出した、限りあるものです。長所も短所も含めて石を愛でてあげましょう。

本磨き

ピカピカな仕上げ。特に黒い石の場合は鏡のように映り込みます。ただし、濡れると滑るので注意。

ノミ切り

割り肌の出っ張りをノミで平らにして少し大人しくします。

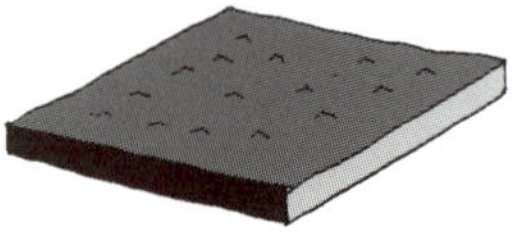

割り肌

原石を割ったままの、デコボコを生かした仕上げ。プリミティブで最も石らしい風合いです。

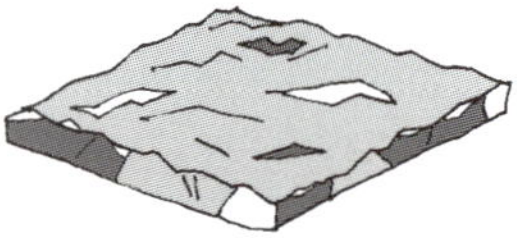

こぶ出し

ノミ切りの逆で、割り肌を強調した仕上げ。中心に向かって盛り上げます。石の「塊」感を演出できます。

ビシャン

特殊なハンマーで叩いたデコボコな仕上げ。ビシャンには、表面が粗くなるものや細かくなるものがあります。

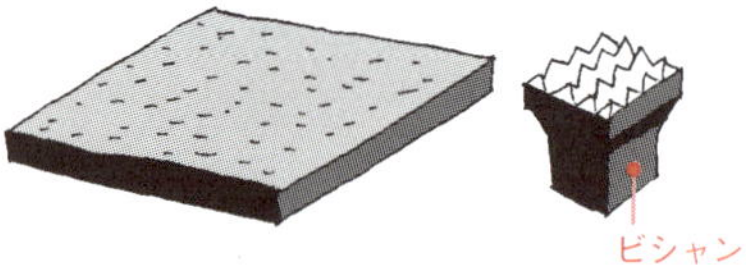

バーナー

水をかけながらバーナーで熱することで、表面がはじけて荒れた仕上げになります。デコボコが白くなりすぎず、品のある演出ができます。

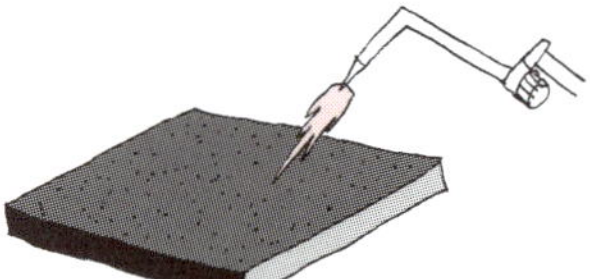

コーナーを整えよう

コーナー（出隅）がきれいに納まっているかどうかで、グレード感がわかります。加工に手間がかかるので、費用対効果を考えながらデザインしましょう。

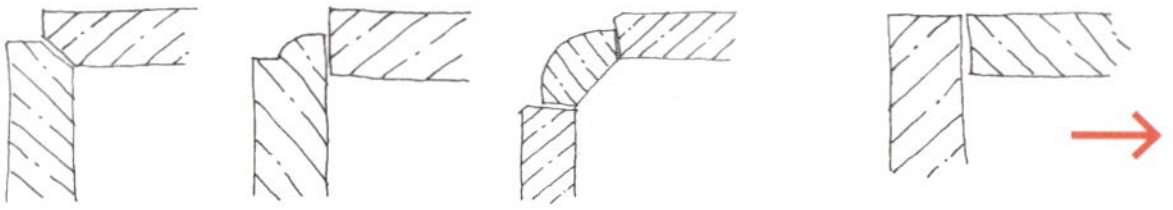

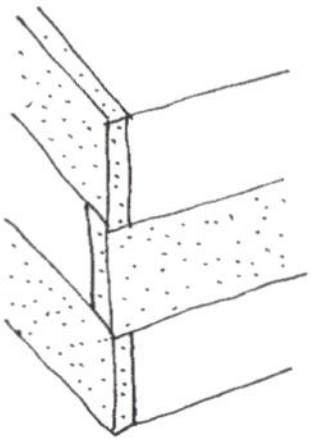

石の張り方

石の見せ方にもいろいろあるので、知っておきましょう。

眠り目地

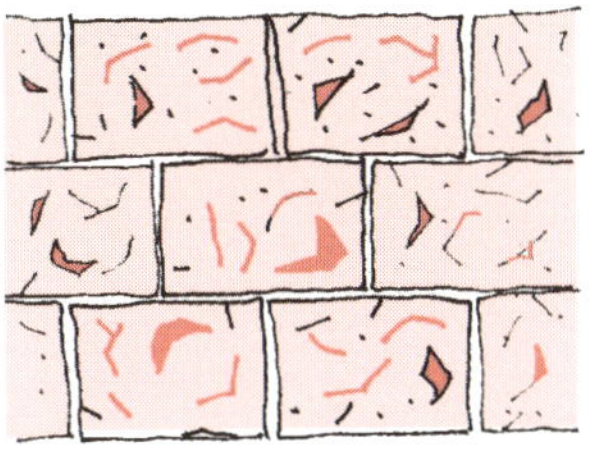

割り肌の石を、あえて目地なしにすると立体感が出ます。

目地なし

あえて目地材を詰めないと、シャープさが強調されます。

石種を変える

石の種類を変えて石の色でグラフィカルなパターンを見せます。

磨きとバーナー

表面の違いでパターンを見せます。バーナーにはクリアのウレタン塗装をすると、白さを抑えることができ、いつでも濡れている感じになります。

幾何学的パターン

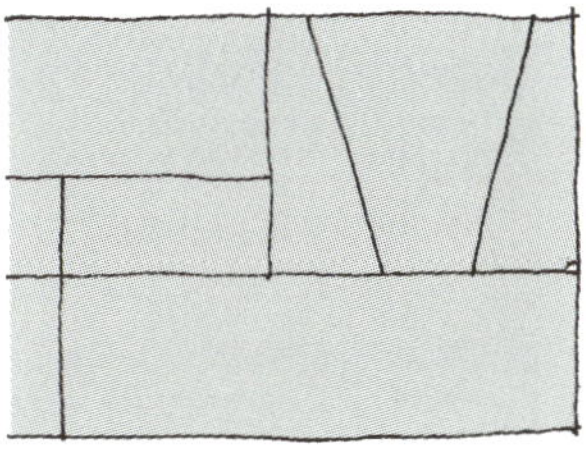

モダンな印象になります。このイラストは桂離宮の敷石を参考にしています。

段差による凹凸

下地にわざと段差をつけることで、立体的に見せられます。照明の当て方も大事です。

無垢の木は
自然とコラボする謙虚さで

構造も仕上げも装飾も無垢の木。

木材は、床や家具、カウンターなどさまざまな場所に用いられます。しかし、樹種は多様で個体差もあり、色や木目では判別しづらい。無垢の木は生き物ですから、反りや割れなどの扱いはやっかいです。

その点、使いやすいのは合板。木目の美しい木をスライスした突板を表面に張った化粧合板は、規則的で寸法の制約も少なく、家具や造作の設計には便利な材料です。

それでも、無垢というブランドは揺るぎないもので、誰からも認められています。直接手が触れるカウンターの天板に無垢材を使いたいという要望が多いのもうなづけます。

仕上げによって木の味わいは変わります。浸透系のオイルステインや染色で深みのある木目を浮き出させるか、皮膜系のウレタンでツヤツヤした表面にするか。天然塗料の蜜蝋や柿渋は、塗った後のにおいに要注意です。

[MEMO] Q.天然素材である木材をインテリアに使うのは環境によい？　A.一概にはいえません。どのような店づくりにするかだけでなく、そのときの技術や産業にもかかわります。

こんなところは無垢の木に

古民家の梁

構造材は当然、無垢材。意外とモダンな空間にも合います。

フローリング

合板のものもありますが、無垢材を使うと歩く感触が違います。ただし、反るので床暖房には専用のものを使いましょう。

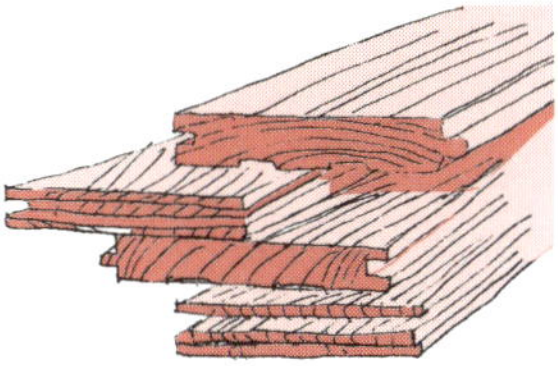

テーブル

天板にはケヤキなどを使うとよいでしょう。せいろが似合います。

カウンター

よく触れるところはぜひ無垢材に。瓶を置く音や、酔ってもたれかかったときの感触が心地よいものです。

木の塗装

浸透系

オイルや染色だと、しっとり感が出ます。

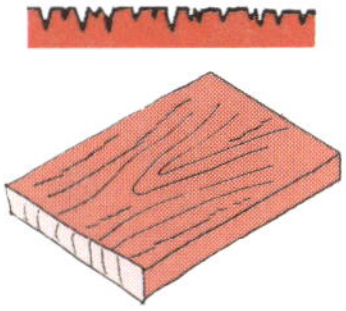

皮膜系

ウレタンを用いると、ツヤツヤした感じになります。丈夫ですが、木の質感は失われます。

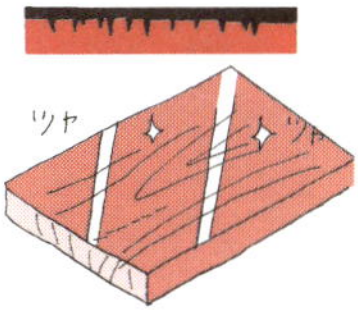

無塗装の木材には……

寿司屋のヒノキのカウンターは無塗装が多いですが、汚れを吸収しやすいという欠点があります。牛乳で拭くと、その油分が薄い膜となり汚れにくくなるそうです。

壁紙

何かと便利だが、手放しでは喜べない

ビニールクロスは燃え広がりませんが、ガスは出ます。

壁紙（クロス）には、ビニール、紙、和紙、布などの種類があります。

特にビニールクロスは、リーズナブルで、日本では9割のシェアを占めているほど、大変重宝されています。また、厚みがあるものもあって、古い壁紙をはがした後、多少下地が凸凹していても見た目よく張ることができます。

紙クロスは薄いので、下地の調整やつなぎ目に十分に気を配らなくてはいけません。燃えやすいものも多く、お店では使用できない場所もあります。とはいえ、和風の演出に和紙はオススメ。不燃のものを探しましょう。

布クロスは高級感を出したいときには使いたいところです。ただし、伸縮しやすい、柄合わせに手間がかかる、汚れが落ちにくい、ホテルの宴会場みたいになりがち、といったデメリットもあります。

[MEMO] Q.天井がスケルトンのお店も多いです。そもそも天井を張る必要はあるのでしょうか？　A.空間演出で必要かどうかです。ただ、繁華街の飲食店では、ネズミが天井裏を走ることがありますから、スケルトンにしたほうが衛生的かもしれません。

クロスの変則的な使い方

底目地に

ただ壁に張るだけではつまらない。底目地にラインで張ったりすると、ビニールっぽさも抑えられます。

ガラスの奥に

タペストリー加工のガラス（くもりガラス）の奥に、うっすらと透けるように壁紙を張ってみましょう。塗装では表現できないような柄のものにすると効果的です。

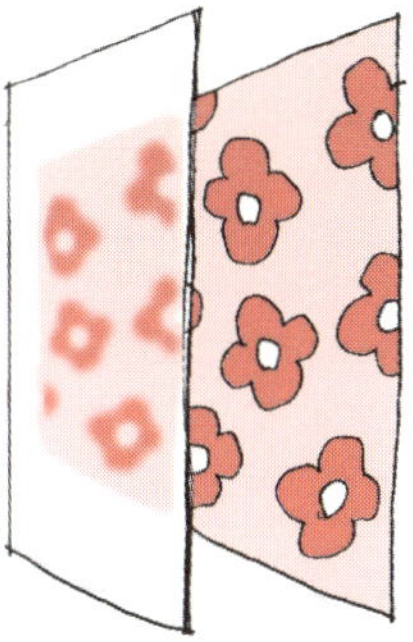

ビニールクロスの上に

既製の壁紙には無難な色が多いので上から塗装してみましょう。壁紙の凹凸によって面白い質感となるでしょう。

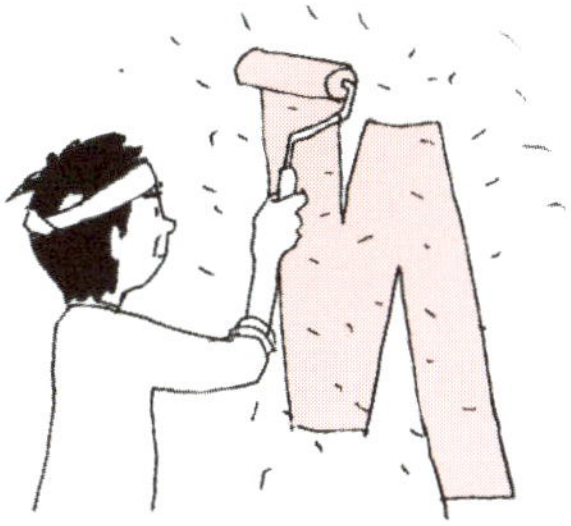

アートとして額に入れる

海外の壁紙は燃えやすいので、お店では床から1.2メートル以上の高さに張れません。現代アート風に額に入れてディスプレイしてはいかがでしょう。

欧米は壁紙先進国

輸入品には楽しいものが多く、本棚のだまし絵、ワニ皮柄など斬新な壁紙があります。あまりに個性的だと、使いこなすのはかなり難しいでしょう。

水廻り以外にも
高級感の演出に最適

タイルは、過酷な状況に耐え、硬く清潔で、店舗では重宝される材料です。これまでは水廻りでの出番が中心でしたが、使い方は広がってきています。

たとえば、60センチ角の大判タイル、木目がリアルなフローリング風、割り肌の石風のタイルなど、バリエーションも増えています。ほかにも、値段は張りますが、ベネチアンガラスやステンレスなど、変わった素材のタイルもあります。

タイル仕上げでもうひとつ重要なポイントは目地の入れ方です。芋目地か、馬目地か。タイルの大きさを変えて、目地をバラバラにすることもできます。また、空間イメージに合わせて色も指定しましょう。目地材の詰める量でも印象は変わります。

目地を脇役とは考えず、グラフィックパターンと捉えてデザインしてください。

タイルの使いどころ

キッチン壁

清掃のしやすさを第一に考えましょう。目地が汚れやすいのでステンレスを張るのもよいですが、タイルだとより温かいイメージになります。

モザイクタイル

洗面所は生活臭がにじみ出る場所なので、あえて住宅では使わないようなタイルにしましょう。ラメの入ったガラスのモザイクタイルや、グラデーションのパターンなど。

エントランスの床

斜め張りは、手間がかかるうえに、歩留りも悪いですが、効果的な場合もあります。

客席の床

フローリング風のものをあえてタイルのように割りつけると面白い。

目地の種類

馬目地

縦目地がずれているレンガのような張り方。古めかしく、構造的に強そうな印象となります。

芋目地

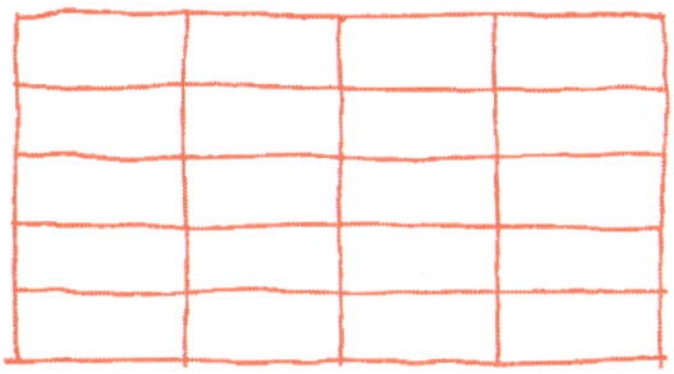

目地を縦横に通す張り方。最もスタンダードなもの。モダンな印象です。

金物

折ったり曲げたり頼れるカタブツ

電車や戦車、ナイフなど、鉄にはファンが多い。

ここでいう金物とは、商業空間の内装における装飾用のものを指しています。特注品ですから、実測して原寸の型をとるなどの手間がかかるうえ、仕上がってからでは現場での加工も難しく、寸法が合わなければつくり直しになってしまうことも……。コストに跳ね返るのも無理はありません。

それでも金物にはありあまるほどの魅力があります。ステンレスや真鍮のクールな輝きには怪しい高級感があります。金物の可能性が広がるかどうかは、デザイナー次第です。柔らかそうに見せたり、温かく感じさせることもできます。

予算的に厳しいのであれば、一点豪華の考え方で取り入れることだってできるでしょう。価格や扱いに負けずに、金物の魅力を探ってみましょう。

鉄

最も身近、さびやすい。

構造材(鉄鋼)

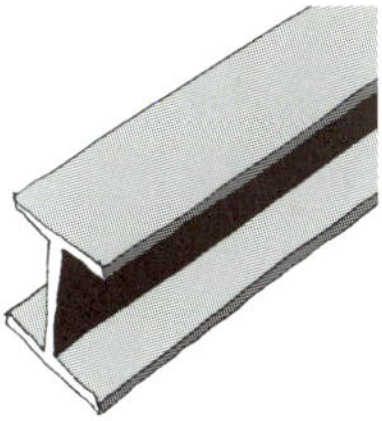

門扉(ロートアイアン)

屋外彫刻(コルテン鋼)

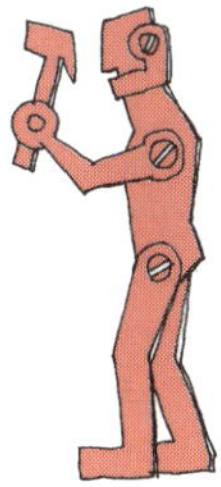

多く出回っているし、リーズナブル。古くから道具として役立っています。

ステンレス

硬い、さびにくくて清潔。

キッチン機器

フォークとナイフ

クライスラービル

SUSと記載します。表面加工にはHL、鏡面、バイブレーションなどの種類があります。

真鍮

比較的柔かい、細工がしやすい。

蛇口

フック

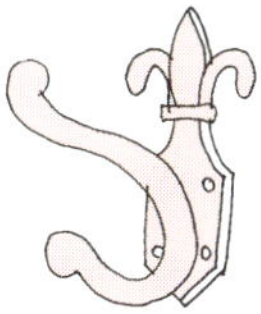

レバーハンドル

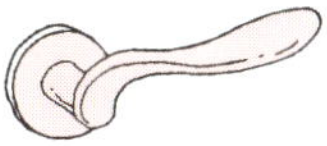

手すり

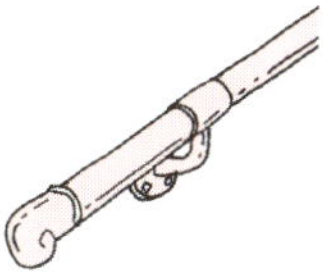

ドアノッカー

黄銅ともいいます。亜鉛と銅の合金で、5円玉もそうです。

ホンモノは意外と特徴が地味

女装の人のほうが女性の特徴が顕著。

印刷技術が進歩したおかげで、天然素材の写真を転写して色柄を再現したメラミン化粧板や塩ビタイルは、かなりリアルに見えます。

それでもプロならば、あまりに色柄が本物らしく見えすぎるため、ひと目でフェイクだと見抜けます。木目にしても石の斑にしても、「それらしすぎる」というわけです。天然の模様には、揺らぎや曖昧さ、意外性があって、人が作為的につくったものとは明らかに違います。

とはいえ、予算の都合でフェイクの素材を使うこともあるでしょう。その際は、フェイクの中に本物を混ぜ込むようにしましょう。比率は、フェイク対本物が5対5、または6対4。フェイクが多くてもかまいません。これで工業製品の予定調和が崩れて、全体が本物のように見えてくるでしょう。

[MEMO] Q.ジェネリック家具（意匠権が切れたコピー商品）を使っても問題ありませんか？　A.気に入ったデザインで手ごろな価格であればむしろよいことです。でも意外なアレンジを加えているものもあるので、オリジナルのチェックも忘れずに。

私たちのまわりはフェイクでできている

ニセモノの特徴

質感

模様がリアルすぎてわざとらしい。目地が本来の見え方とは異なります。

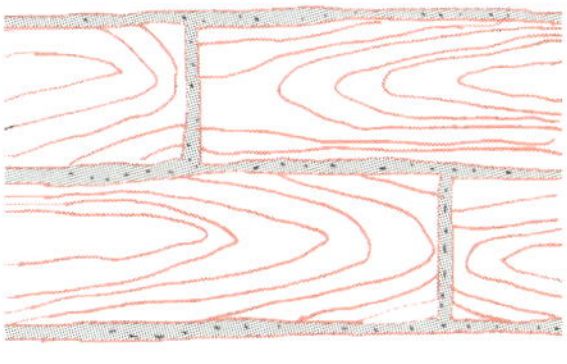

温度

触ったときの熱の伝わり方が本物の素材とは異なります。

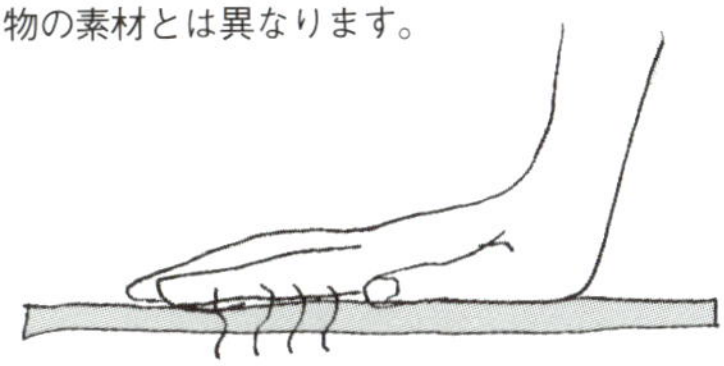

硬さ

硬さ（反発係数）や音が本物の素材とは異なります。

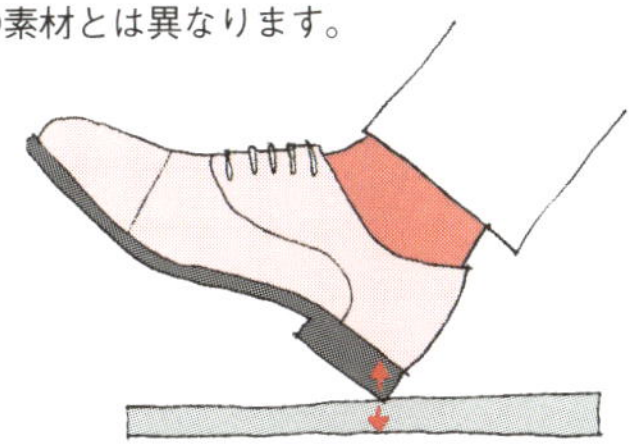

厚み

コーナーを見ると、本来の素材の厚みとは明らかに異なります。

ガラス

空間以外に視線や気分も いろいろ仕切る

ガラスは、近代デザインの代表的素材ですが、古代エジプトの文献にも、ガラスの生産記録があるというから驚きます。

インテリアでは、たとえばガラスは次のように用いられます。レストランなどで席を分けるパーティション。空間の広がりを損なうことなく、隣席との隔たりが生まれます。ＶＩＰルームの壁。特別なエリアとしつつも、内部を見せびらかしたいショーケースとして設えるのに最適です。

強化ガラスや紫外線カットガラス、耐熱ガラス、防音ガラスなどの機能を備えたもの。型板ガラス、カラーガラス、２枚の板ガラスの間に何かを挟んだ合わせガラスなど、選択肢が広く、空間のイメージを膨らませてくれます。

ガラスを納める枠のデザインにも気配りを。基本は優しくしっかりと挟むことです。

ガラスの種類

フロートガラス

窓や仕切りに用います。金属の上に浮かせてつくります。

カラーガラス

ステンドグラスのほか、装飾壁面に用います。

網入りの型板ガラス

割れても飛び散りません。火災延焼対策で用いられます。

葉っぱ入りの合わせガラス

ほかにワラや和紙入りなどもあります。

強化ガラス

割れ防止に用います。飛散防止フィルムを張ればさらに安全です。

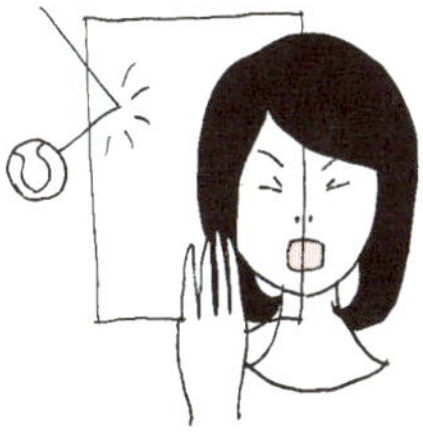

紫外線カットガラス

肌の健康だけでなく、省エネ効果もあります。

ぶつかり注意

衝突防止シール

丸いシールです。すべてのガラスに張る必要はなく、危険な場合のみでよいでしょう。大人用、子供用があればベスト。

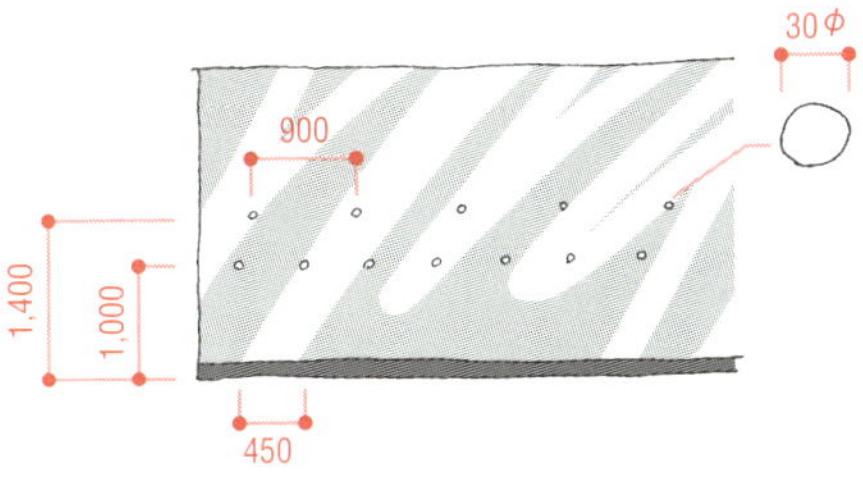

ロゴを兼ねてシールを張る

店名や鳥のシールを張ることで、ガラスの存在を知らせます。

鏡はいたずら好きのマジシャン 油断せずに仲良くしよう

鏡は、対象を左右反転しますが、上下はそのままに映るという不思議な特徴があります。人間の視覚をだますので、空間を広く見せたり、圧迫感を軽減したりすることができます。

鏡はミステリアスです。霊界と人間界の通り道であるとか、割れたり合わせたりすると不吉であるなどともいわれています。それでも、お店をデザインするには欠かせない素材です。いろいろ挑戦してみましょう。

縁を面取りしたり、フィルムを張ったり、型板ガラスを重ねたりすることで、光の反射は面白い効果を生み出します。

ただし、お酒を飲むお店で、座った視線の先に鏡を置くのは避けたほうがよいでしょう。お客は自身の酔っ払っていく姿を見るのは望まないものです。

[MEMO] Q.更衣室に全身が写る鏡を設ける場合のサイズは？　A.鏡は肩幅、身長の半分くらいの大きさがあればよいでしょう。

鏡のいたずら

天井設備が映り込む

ただでさえ意識してほしくない設備が倍あるように見せてしまう結果となります。

間接照明のネタをばらす

見えないように隠している間接照明が見えてしまっては台なしです。

隠したいのに見せる

鏡の位置に注意。見せないつもりのゴミ箱なども見えてしまいます。

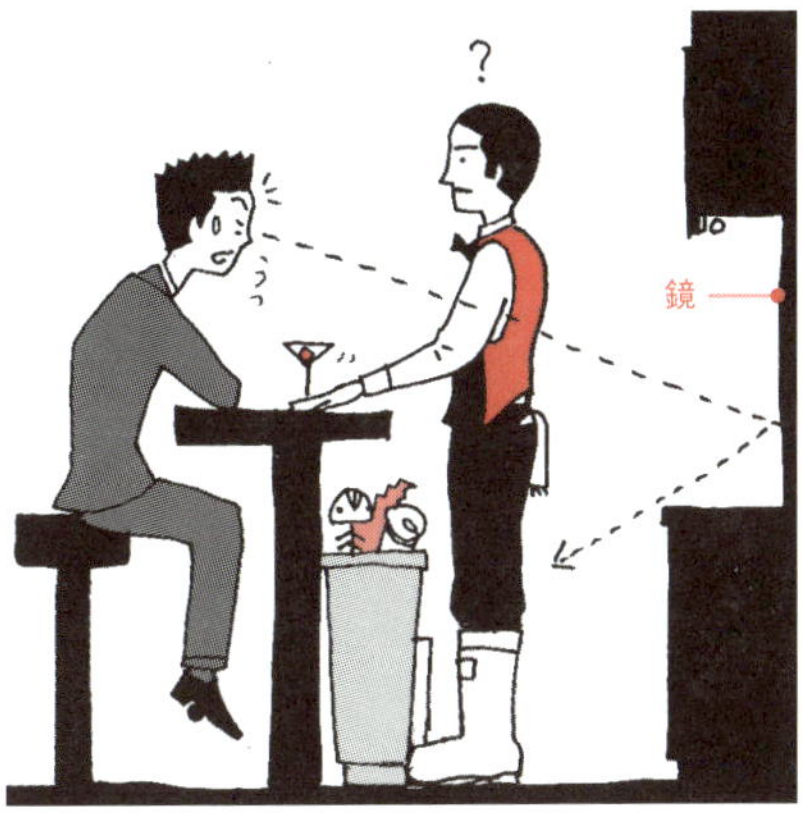

世界中から探して
オンリーワンの空間に

調度品とは、暮らしのなかで日常的に使うもののことです。家具も含みますが、あえて「調度品」という場合は、装飾的な要素があるものを指します。人の趣味や嗜好で選ばれた品物は、もてなされた安心感を演出します。調度品の置き方によって、室内空間がまとまったり、引き締まったりする効果があります。

お店の調度品にはどういうものがよいでしょうか。オシャレなスタンド照明、額、観葉植物など、いろいろなものが考えられます。つまり、お店の雰囲気づくりに役立つものであれば、車でも蝋人形でも何でもよいわけです。

しかし、その配置にはセンスが問われます。また、店内での大きさのバランスや素材、色なども考え合わせて、多少はカスタムしたほうが独自性が出ます。

[MEMO] Q.インテリアに賞味期限はあるのでしょうか？　A.あります。あまりにもわかりやすい流行を追うと薹（とう）が立つのが速いものです。

いろいろな調度品

照明の当て方や置き方にセンスが問われます。

お店は照明でできている

お店のインテリアは、照明で成り立っているといっても過言ではありません。照明の光がないと、どれだけオシャレな空間でも、お客には伝わりません。

ただ照明を当てて明るくするだけでは、効果は期待できません。重要なのは、どのように照らすかです。雨のように降らす、撫でるように、殴るかのように、弾ませてから……など光の存在を具体的にイメージしながら決めましょう。

照らされる側の素材もよく考慮しましょう。鏡を照らせば全部反射するし、黒い壁に間接照明を仕込んでも目立ちません。ツヤ加減や凸凹具合、色、透過性など、それぞれの対象に合った照らし方がきっとあるはずです。

また、器具の取り付け場所など照明の検討は、デザインを考えるのと同時に進める必要があります。

［MEMO］ Q.お店で照明をうまく使いこなすにはどうしたらよいでしょうか？　A.照明器具のカタログデータだけではわからないので、経験値を上げましょう。

光の当て方いろいろ

ガツンと

彫刻などを強調したい場合など、対象がはっきりしている場合に用います。

鋭く

壁面の装飾などをより演出的に盛り上げたい場合に用います。

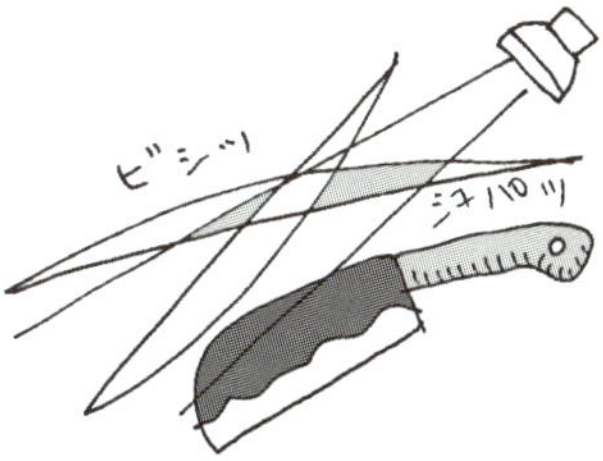

撫でる

壁の質感や微妙な陰影を出したい場合に用います。

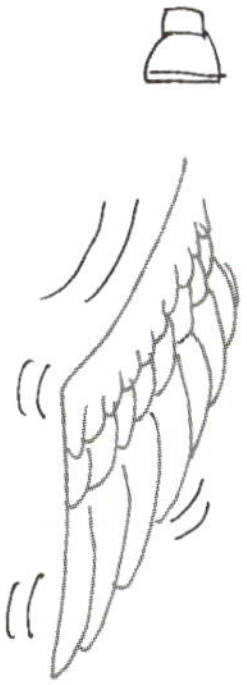

弾ませる

明るい色の壁や床を使って、光を反射させます。

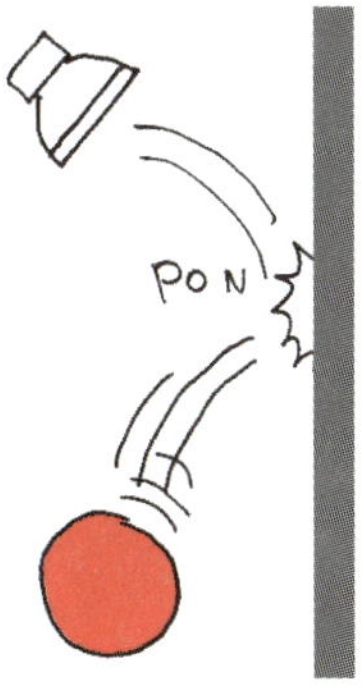

降らせる

空間や面をフラットに照らして明るくしたい場合に用います。

フワッと

行灯など、大きくてぼんやりした光源で空間を明るくしたい場合に用います。

おいしそうと可愛いは同じ照明で

人もお肉でできています。
おいしそうなほうがよい。

お店の営業時間帯や客単価、ランニングコスト、メニューなどから用途に合った照明を選びます。

ランプ（光源）によって、光の広がりや色温度、演色性が違うので、求めている光を見極めましょう。

この照明選びの過程では、お店で人物をどう照らすかということも絶対に忘れてはいけません。たとえば、レストランでのデート。どれだけ明るいお店でも、青白い照明では、女性の顔が安っぽく見えてしまいます。彼氏にも彼女にも「こんなはずじゃなかった！」と残念な思いをさせてはいけません。

この場合、演色性が高いネオジュウムランプがオススメ。これは「お肉」を赤々しく見せる効果があり、女性もまたおいしそうに見えるでしょう。

［MEMO］Q.照明はLEDが当たり前？　A.ランニングコストだけでなく、高所作業による交換の手間を考えると、LEDは有効です。

顔に光を当てる

直接

女優が使うハリウッドミラーはキレイに見えるので、化粧するには適していますが、かなりまぶしい。

間接照明で

テーブルを明るい色にすると、下からの反射光を利用して顔を照らすことができます。

ソフトな光で

光源が直に当たると強すぎます。照明に笠（シェード）をつけて、柔らかく正面から照らします。

流行っているお店は熱い

快適に過ごしてもらうには、お店の温度にも気を配ります。空調機で温度を管理しますが、その働きを乱す「クセモノ」がいます。

製氷機や冷蔵庫などの空冷の機械は庫内を冷やした分の熱を外に捨てています。その結果、お店の温度が上がります。

お客や従業員の代謝による発熱。その熱量は1人当たり100Wの白熱球と同じくらいといわれています。人の数だけ電球が点いていると考えると、繁盛店はかなり明るい、いや、かなり熱い空間といえます。

発熱するもの以外にも、空調機の足を引っ張るのがフィルターの汚れです。空調機は室内の空気を吸い込み、設定温度にして出しています。フィルターの詰まりは、空調機の効率を下げて、電気代を吊り上げます。定期的に外してきれいにしておきましょう。

お店をヒートアップさせるもの

製氷機

水道代はかかりますが、空冷でなく水冷を使えば暑さを防ぐことができます。

オーブンレンジ

中華では、特に熱量が多くなりますが、仕方ありません。そのほかの料理なら電磁調理器にすれば熱が出ずに済み、酸素も使いません。

冷蔵庫

縦型で大型のものもあります。

パソコン

いまではどの店にも置いてありますが、当然のことながら熱を発します。

トランス

電圧を変換する際に熱を発します。LEDなど12Vのものが増えています。

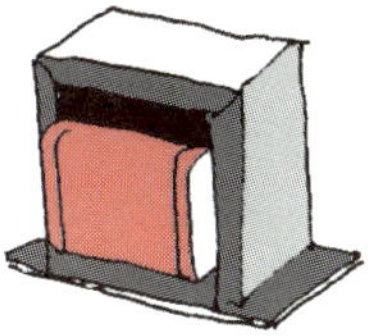

照明

ハロゲン球などは特に高熱になるので、やけどにも注意しましょう。

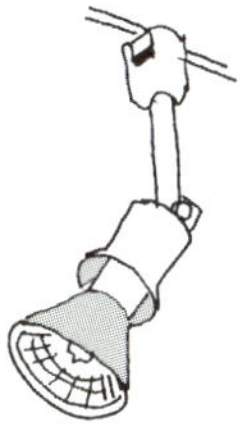

キャンドル

酸素を使いますが、炎を見ていると心が和みます。

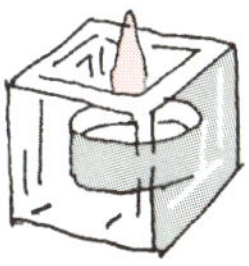

子ども

運動量が多く、体温も高いので、室内を暑くします。

排気と給気

空気の動きを視覚化して考えよう

人間は1時間に500ミリリットルのペットボトル約900本分の呼吸をしています。

たとえ空調機で店内の温度を管理できても、空気が淀んでいたら、お客は席を立ちたくなるでしょう。

換気扇で汚れた空気を排気するためには、外から新鮮な空気を取り込まなければいけません。基本的には、排気と給気の量は同じになるようにします。

お店の出入口周辺は温度差が出やすいところです。というのは、排気量が給気量を上回ると、ドアが開くたびに外気が一気にお店に流れ込んでしまうからです。寒かったり暑かったりと居心地の悪い席にならないよう排気と給気のバランスに十分配慮しましょう。

火を使うお店、ダンスなどで運動量の多い場所、防音対策で閉め切っているようなライブハウスやカラオケパブなどは酸欠にも注意しましょう。

排気と給気の関係

給排気のバランス

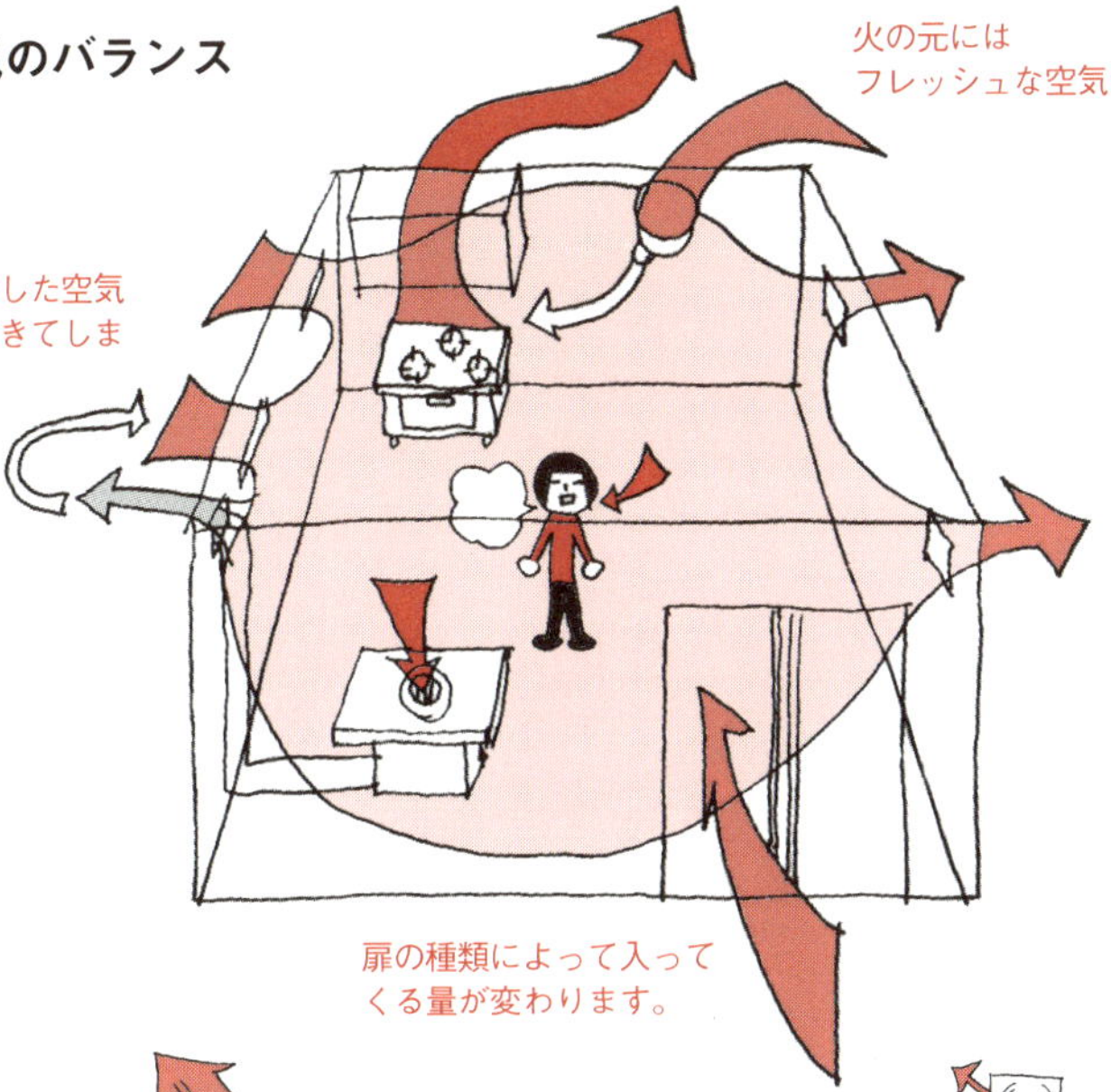
火の元には
フレッシュな空気を。
近いと出した空気
が戻ってきてしま
います。
給気の反対側に
くる量が変わります。
排気を。

お客が給気

ドアを開けた瞬間に、一気に外の空気がお店に入ってきます。

排気過剰

扉が開けにくく、うまく分散する給気口が必要です。

温度差をマイルドにしよう

給気口が少ないと、外気が集中して入ってきてしまうので、一度天井に取り込んだ後、適度な配置の給気口から分散して入れるという方法もあります。

給気のルーバーもインテリアに合わせてデザインする。
給気
排気
排気

測れ、測れ！
測れば身体がスケールになる

定規や巻き尺などの道具がなくても、だいたいの寸法くらいはパッとわかるようにしたいものです。

そこで、自身の寸法感覚を身につけておきましょう。特に参考になるのが、身長や腰の高さ、両腕を広げたときの幅、広げた手の平（親指から小指まで）など、自分の体の寸法です。覚えておいて目盛りとして使います。1万円札の幅、エスカレーターのベルトの幅、本のサイズなど、身近なものの寸法も覚えておくとよいでしょう。

これに基づいて、ためしにお店でカウンターの奥行きやイスの座面から天板までの間隔を採寸してみてください。意外と正しいとされている数値よりも許容範囲が広いことに驚くはずです。

こうした経験を積んでいけば、杓子定規な寸法体系から開放されるでしょう。

知っておくと便利な寸法

親指と小指の間

手の平の幅は最もよく使います。大人の男性なら約20センチ、女性で約18センチです。大切なのは、自分の寸法を知っていること。

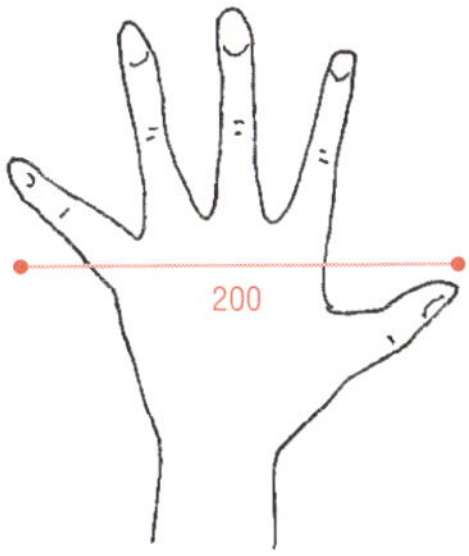

腰までの高さ

腰骨の高さ。個人差はありますが、85センチ〜1メートルくらいでしょう。

1万円札の幅

幅は16センチ、縦は7.6センチです。手の平よりも確実に測ることができます。大人ならもっていたい。

エスカレーターの幅

種類によって、61センチ、81センチ、1.01メートルなどの幅があります。ベルトの幅は8センチです。

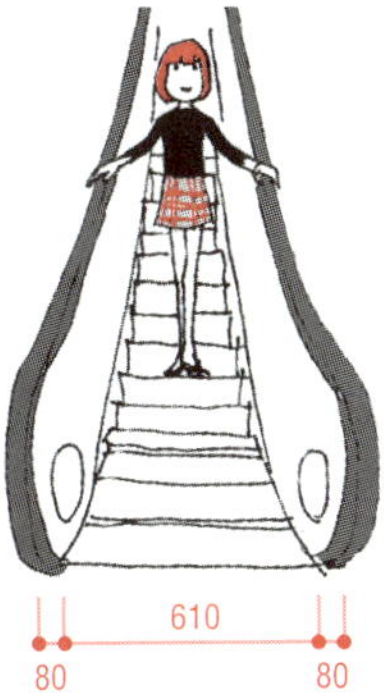

横断歩道の幅

幅は3メートル、ボーダーとすき間はそれぞれ45センチずつです。自分の歩幅を知るのに便利。

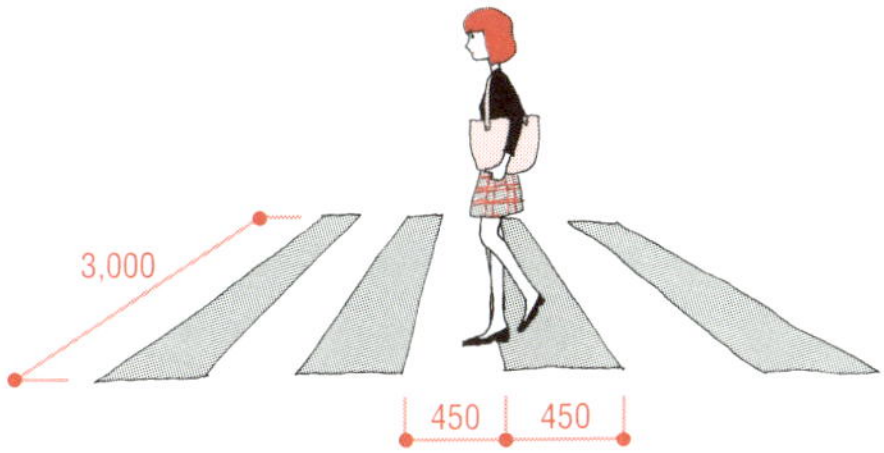

本のサイズ

文庫本は縦14.8センチ、横10.5センチです（いわゆるA6サイズ）。デジタル書籍などもありますが、紙の本は不滅です。

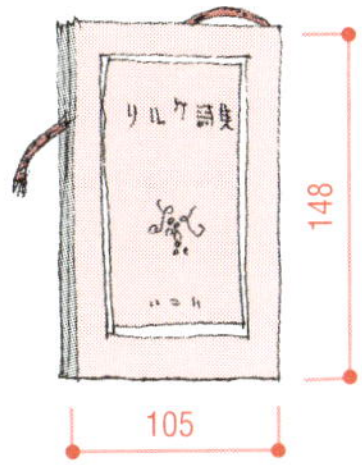

お客の心に引っかかる勇気あるフックを

「フック」が思いつかないようなら、キズが浅いうちに……。

お店の経営が思わしくないので、カンフル剤として内装をいじりたくなる気持ちは理解できます。とはいえ、経営状態がよくないわけですから、それほどお金をかけられない、という制約もあります。

理由はさておき、お店が冴えなかったのは事実。こういう場合には、正攻法で小ギレイな改装をしてもテコ入れになりません。

それなら、お客にスルーされることのない刺激的で心に引っかかる「フック」を用意しましょう。お客の気持ちがざわめく工夫をお店に施すのです。

ただし、キレイとかハイクオリティといった方向で「フック」を考えるのではなく、お客に「なんで？」と感じさせるような心のざわめきを起こさせましょう。

お店を盛り上げようという意気込みを表明するのです。

［MEMO］Q.売り上げが落ちてきているので改装すべきでしょうか？　A.改装にはお金がかかります。売り上げで悩んでいるのであれば別の方策をオススメします。

お金をかけないメンタルの仕切り直し

掃除をする

スタッフ全員で掃除をしましょう。細かい部分も見直す機会とします。

調度品を替える

工事をしないので簡単。これくらいではあまり変わらないでしょうけど……。

色を変える

壁紙の上から塗れる塗料もあります。自分たちで塗ると予算を抑えられます。

配置を替える

家具などの配置を変えれば、思いのほか印象が変化します。

入口のパッと見の印象を変える

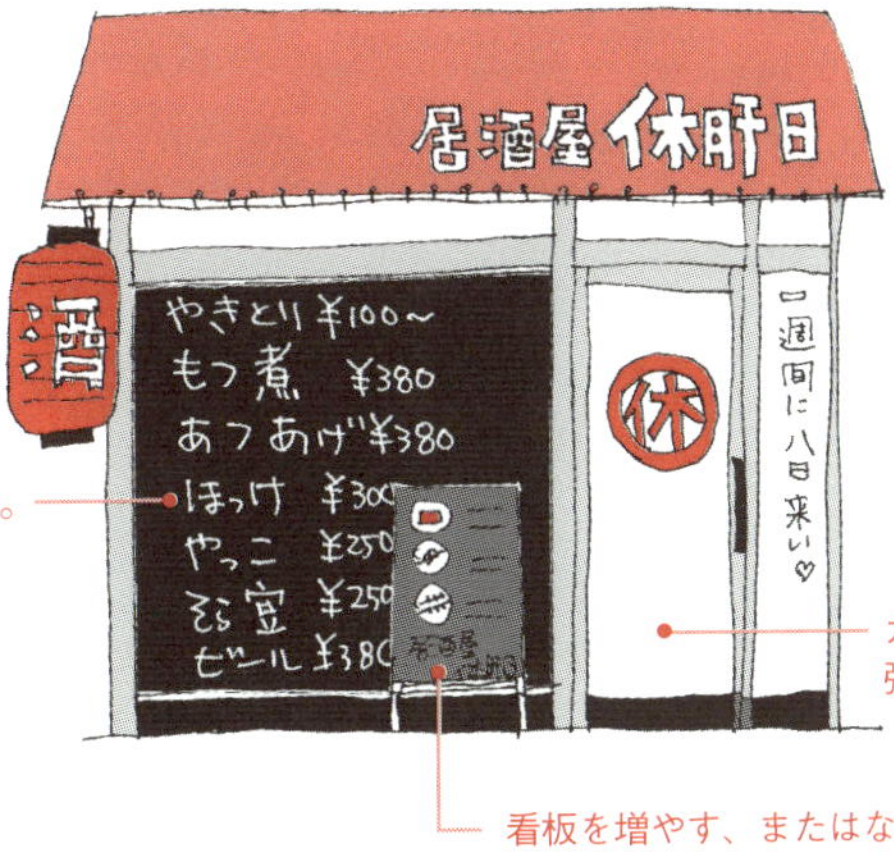
メニューを大きく表示する。
カッティングシートを張る、または剥がす。
看板を増やす、またはなくす。

音楽もインテリアの一要素
「なし」という選択もあり

音は目に見えませんが、お店を演出する大切な要素です。とはいえ、お店に流れる音楽を気にしている人はそうはいないかもしれません。実際には、間がもたない「シーン」とした空気を避けるため、音楽を流しているといってもよいでしょう。

それでも、ふとしたときに「アレ？」と違和感を感じてしまったら、音が気になって、居心地が悪くなるかもしれません。逆に、お店の雰囲気にぴったり合っていたら、楽しく、よい時間を過ごすことができるでしょう。

お店には有線放送が便利。ジャンルも細分化されているので、お店に合うチャンネルが選び放題です。

高性能のアンプや大きなスピーカーを据えるより、小型スピーカーを多めに点在させます。音量を絞ることにより店内は均質で心地よい音環境になります。

音楽が先か、インテリアが先か

お店×ジャズ

レンガ壁にベルベットのカーテン、ネオンサインを使って、ニューヨークを演出してみてはいかがでしょう。古いジャズのジャケットなどが参考になります。

お店×昭和歌謡

昭和のイメージで内装をデザインすると、単なる和室になりがちなので、路地裏風にしてみましょう。エイジング処理も忘れないように。ホーロー製の看板など小物はネットでいろいろ探せます。

お店×クラシック

ゴシックよりはロココ調がよいでしょう。大理石やステンドグラスなどもよく合います。いまでもたまに名曲喫茶などで見かけます。

千本ノックの要領で外からのデザインを打ち返そう

デザインは、さまざまな問題を造形で解決する手段であるといえます。かつてデザインにはゴシック様式、アーツ&クラフト運動、アール・デコ、アール・ヌーボー、ハイテクなどの流行がありました。そんな時代には、デザインムーブメントにはめ込めばよかったのかもしれません。

ところが現代には、時代を象徴するわかりやすいスタイルは存在しません。人々の好みは多様化し、1人の人物でも価値や生活スタイルがめまぐるしく変化していきます。

ですから、スタルク風でも、三丁目の夕日風でも、ライト風でも、脱構築主義でも何でもかまいません。千本ノックや百人組手の姿勢で、どんどん研究し、楽しんで吸収しましょう。そこから、オリジナルのデザインが誕生するのです。

[MEMO] Q.インテリアで人を感動させることはできますか？　A.感動は無理でしょう。でも、喜ばせたり、驚かせたりはできます。スタッフのよりよいサービスが加われば感動させることも可能です。

人気のインテリアスタイル

アール・デコの空間

1910年代から1930年代くらいに流行しました。流線型や幾何学的パターンがよく見受けられ、特徴的な素材はステンレスです。かつてのカフェバーブームでは、このようなインテリアが最先端でした。

ミッドセンチュリーの空間

チャールズとレイのイームズ夫妻によるデザインはいまでも人気があります。特徴的な素材は合板やスチール（規格品）です。工業製品を使った量産可能な彼らのデザインは倉庫のようですが、豊かです。後のハイテクスタイルの手本となりました。

モダニズムの空間

水平・垂直で、あっさり・スッキリした空間です。特徴的な素材は石です。ミース・ファン・デル・ローエのバルセロナパビリンオンが有名。高級な素材によるシンプルなのに凝ったディテールが特徴。

和風モダンの空間

海外の人にも好まれます。特徴的な素材は木や紙です。和風とモダニズムは親和性が高く、格子を駆使して、シンプルにまとめましょう。東照宮のようなきらびやかさはやりすぎです。

お店をデザインする人たち

絵が下手でも誰でも描けるように、インテリアデザインも意欲さえあれば誰でもできます。実際にお店をデザインしているのはどんな人たちなのか見てみましょう。

インハウスデザイナー

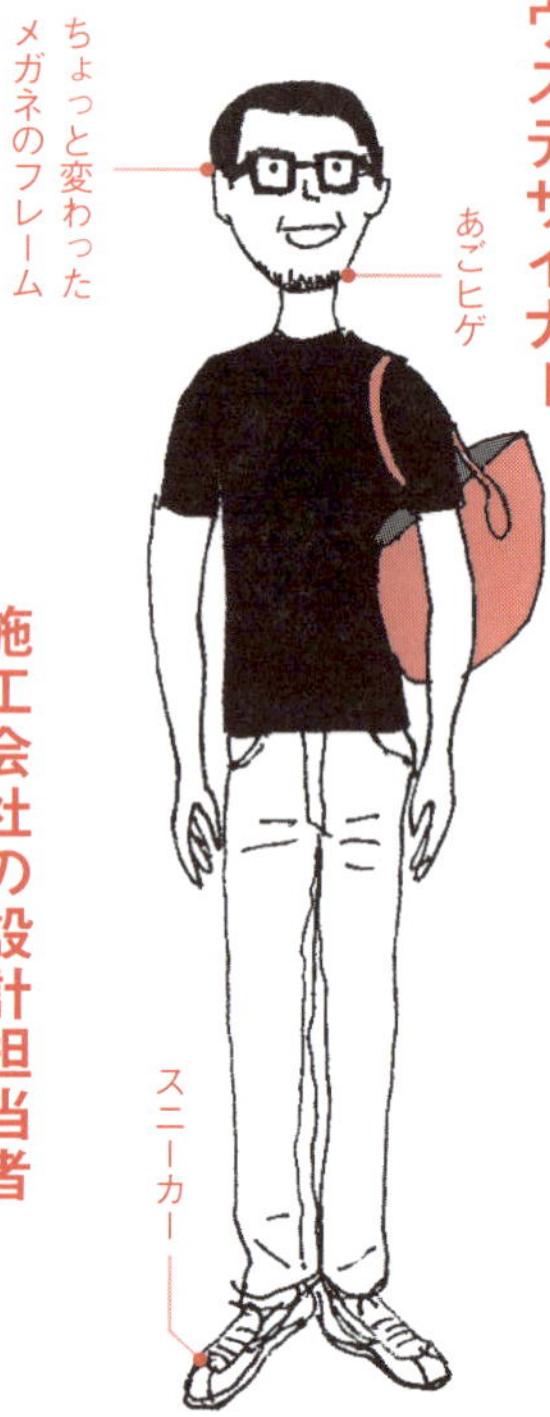

企業に属すデザイナー。プロデューサーからの指示で動くことが多い。サラリーマンだからでしょうか、オシャレっぽく、無難でこなれています。すべからく合格点です。

施工会社の設計担当者

日頃からデザインにアンテナを張っているわけではないので、凝りすぎず実用的。これまでの仕事を継ぎ接ぎするようなケースもあります。ご近所の小さな居酒屋などをつくらせたらは、ほどよいアットホーム感が出ます。

アトリエ系デザイナー

作家性のあるスターデザイナーのものは、さすがにクオリティが高く、見るべき価値があります。忙しすぎる「先生」の場合には弟子に丸投げして、詰めの甘い物件となるケースも。

[MEMO] Q.現場でデザイナーが注意したほうがよい振る舞いとは？　A.偉そうにしたり媚びへつらったりせず、淡々とお店にとっての最大限の利益を考えていきましょう。

施主

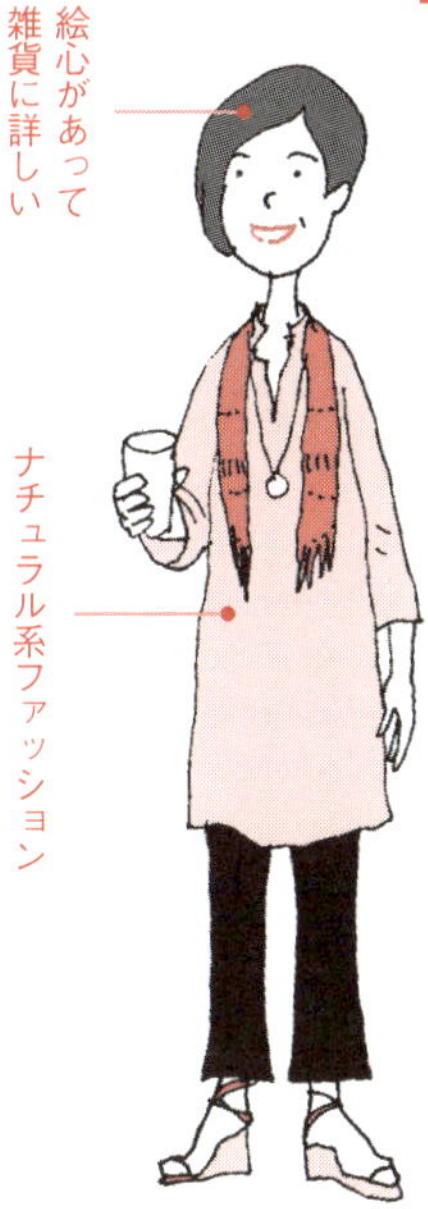

小さな雑貨店やカフェなどのセルフビルドの店なら、自分のイメージを具現化しやすく、ローコストで済みます。ただし、個性が出すぎる傾向もあり、外す確率も高い。他人の意見を聞く度量次第で、面白いお店になることも。

アーティスト

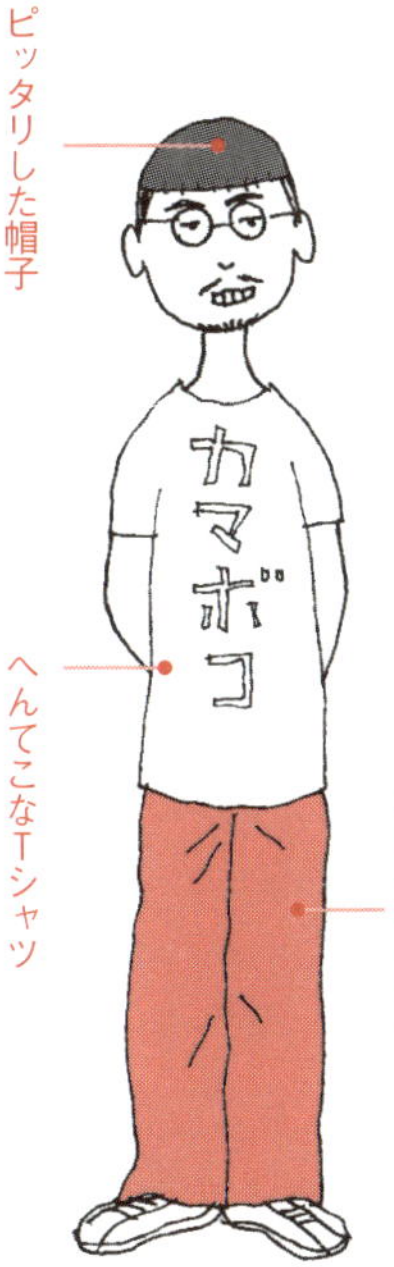

大胆な発想で面白いものをつくりますが、パンチがありすぎて賞味期限の短いものになることも。また、天真爛漫さも特徴です。どのくらい任せるかが重要で、任せきりは避けたい。プロデュース能力が問われます。

建築家

特に構造や外装に強いので、外壁が内部まで入ってきたようなインテリアになりがち。普段はビルなどを扱うせいか、小さいお店の場合にはさっぱりした感じに仕上がります。明解なコンセプトで魅力的な空間をつくる人もいます。

索引

あ

アート 77
アール・デコ 155
アイコン 43
アウトドアファニチュア 51
足掛け 97
アパレルショップ 74
アメニティ 109
アングラ 80
イートイン 15
粋 33
石 119、120、121、122、123
イス 19、20、27、29、33、35、47、49、53、55、60、65、73、77、79、81
芋目地 129
癒し系雑貨店 70
色 22、70、151
インテリアショップ 76
インハウスデザイナー 156
インフォメーションカウンター 95
エスカレーターの幅 149
エントランス 129
塩ビタイル 119
オイスターバー 36
大皿料理 97
オーセンティックバー 64
オーブンレンジ 145
お品書き 25
お寿司屋 95
お店の床いろいろ 119
お土産 83
音楽 81、153

か

カーテン 103
カーペット 119
ガールズバー 60
懐石料理屋 44
改装 150
回転寿司屋 24
カウンター 25、27、41、53、55、59、60、65、80、93、94、95、97、125
香り 67
鏡 73、136、137
火気の使用 67
家具 13、31、39、53、57
額 127
金物 130
カフェ 12
壁 31、46、49、54、61
ガラス 72、99、127、134、135
カレー屋 22
間接照明 137、143
看板 81、114、115
キッチン 129、131
記念撮影 83
キャッシャー 75、77
キャバクラ 62
牛丼屋 95
行列 27
キラーアイテム 37
クライスラービル 131
クラシック 153
クロス 126、127
更衣室 61
高級中華料理屋 48
高齢者 **45**
個室 102、103
コピー 66
ゴミ 105
古民家 125
小料理屋 95
コンビニ 68

さ

サービス 68
サイン 66、75
座席 16、20、30、38、48
死角 105
視線 111
室内温度 144
ジャズ 153
什器 74
照明 30、58、73、145
昭和歌謡 153
食事 81
スイーツショップ 14
水槽 24
スタイル 18、76、155
スポーツバー 52
寸法 27、65、92、93、148、149
施主 157
設備 79、81
掃除 151
ゾーニング 87
素材 38、44、70、78、99
袖看板 115
蕎麦屋 32
ソファ 63、73

た

大衆酒場 54
ダイナー 18
タイル 128、129
畳 119
立ち飲み 58、93
棚 28、68
段差 123
厨房 104
テーブル 19、29、35、40、47、53、55、65、79、125
手すり 131
鉄板焼き屋 38、95
テラス席 111
天井 15、43、47、76、78
天然素材 42
天板 98
トイレ 43、65、108
床の間 44

な

鍋ダイニング 40
におい 22
のれん 55

は

バー 95
バーカウンター 63、79
パーティション 76、100、101
ハイカウンター 96
排気と給気 146、147
配置 151
バックバー 29、60
バックヤード 74
浜焼き屋 34
ハンバーガーショップ 18
ビアガーデン 56
光 62、140、141、143
引き戸 103
ヒジ掛け 97
ビストロ 46
ピッツァハウス 20
ビニールクロス 127
非日常 50
平台 72
フィッティングルーム 74
フェイク 132、133
フック 131
プライベート感 42
ブリッジ 91
フローリング 119、125
平面計画 86
平面図 87
防音 78
ボトル 80、107

ま

間取り 87
ミッドセンチュリー 155
ムード 58
メガネショップ 72
目地 129
メニュー 101
木材 124
モダニズム 155
モルタル 119
もんじゃ焼き屋 30

や

屋台 66
床 17、19、21、23、24、30、35、37、41、46、49、54、63、71、118、119、129
洋食屋 16

ら

ラーメン屋 26
ライブ販売 68
ライブハウス 78
リニューアル 26
旅館 50
レジ 15
ロゴ 135

わ

和 42、45、81
ワイン 47、59、106、107
和風モダン 155
和モダン 24

数字・アルファベット

3秒ルール 105
4人掛け席 93
A看板 115
PR施設 82

高橋哲史（たかはし・てつし）
1960年千葉県生まれ。デザイナー。株式会社 設計工場を経て、2003年に六本木にデザイン事務所、株式会社メイドインを設立。同代表取締役社長を務める。飲食店のインテリアデザインを行うほか、企業PR施設の企画や演出、公共の資料館や公園の設計、ユニバーサルデザインの提案、イラストの制作を手掛ける。子どもの遊具から踊らない大人のクラブ、高齢者用の施設までと幅広く設計活動を行う。著書に『建築スタイルブック』（共著）など。

お店の解剖図鑑

2014年6月30日　初版第１刷発行
2024年3月19日　　　第６刷発行

著者　高橋哲史

発行者　三輪浩之

発行所　株式会社エクスナレッジ
〒106-0032
東京都港区六本木7-2-26
https://www.xknowledge.co.jp/

問合せ先　編集　Tel：03-3403-1381
Fax：03-3403-1345
販売　Tel：03-3403-1321
Fax：03-3403-1829